D1455527

나를위해
웃다

# 나를 위해 웃다

정한아 소설

10月11日 12 전복씨가.

문학동네

**차례**

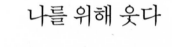

# 나를 위해 웃다

꿈속에서 엄마는 자신의 몸이 빵처럼 부풀어오르는 것을 느꼈다. 뭔가 부드럽고 따뜻한 촉감, 폭신하며 향긋한 느낌이 밀려왔다. 그것은 살고 싶은 마음이 들 때마다 엄마를 가득 채웠던 성장이었다.

오래 전에 엄마는 밥풀보다 작고 보드라웠다. 그때 엄마는 탄탄하게 윤기가 흐르는 태내의 세포 덩어리였다. 스스로를 쪼개어내면서 성장한 엄마는 칠 일 동안 천천히 자궁 안으로 하강했다. 주위는 따뜻했고 캄캄했으며 고요했다.

외할머니는 엄마의 키가 이십 센티미터가 되도록 그 존재를 알지 못했다. 가느다란 줄 하나로 외할머니와 연결되어 있던 엄마는 으드드 몸을 떨며 기지개를 켰다. 그리고 온 힘을 다해서 투명한 입술을 쪽쪽 빨아당겼다. 고등학생인 외할머니는 보름달빵을 한자리에서 네 개씩 사먹어도 눈물이 날 것처럼 공허했다.

아버지가 우릴 죽일 거야. 학생회장인 외할아버지는 외할머니의 볼을 꼬집었다. 너는 겁쟁이로군. 수술비를 구하느라 걸린 한달 동안 엄마는 십 센티미터 더 자랐다. 꾸준하고 성실한 성장이었다. 외할머니는 엄마가 미워서 허리띠를 졸라맸다.

"이쯤 됐을 땐 낳아서 죽이는 거야. 그렇게 할 거야?"

칠 개월 된 애도 지워준다는 지방 도시의 남자 간호사는 두껍고 검은 손을 휘휘 내저었다.

"더 된 사람도 해줬다고 들었는데요."

"글쎄 애가 너무 커."

외할머니는 곧이어 들어오는 다른 소녀의 아담한 배를 보고 부러움과 부끄러움을 느꼈다. 그때도 엄마는 자라고 있었다. 엄마의 성장은 누가 봐도 감탄스러울 만큼 왕성했다. 마치 그녀 스스로 이것만이 살길이라는 것을 알고 있는 듯했다. 양수 속에서 자유로운 엄마는 마치 공중제비를 돌듯이 몸을 움직였다.

2학기 개학이 일주일 남은 8월에 남자 간호사는 뱃속의 엄마를 꺼내줬다. 이상할 만큼 고통이 없는 순산이었다. 외할머니는 엄마가 미웠지만 그 꼬물거리는 것을 한 손으로 끌어당겼다. 갓 태어난 아기는 빨갛고 쪼글쪼글하다던데 엄마는 그렇지 않았다. 막 쪄낸 호빵처럼 하얗고 말랑말랑했다. 외할머니는 엄마의 볼을 꾹 눌러보았다. 엄마는 울지 않고 잠자코 외할머니의 손길을 견뎠다. 입술을 벌렸더니 분홍색 잇몸과 혓바닥이 외할머니에게 메롱을 했다. 외할머니는 엄마의 속눈썹을 살며시 손끝으로 건드렸다. 바람과 물, 솜사탕과 크림의 감촉. 이것도 물질이라고 할 수 있을까. 땀에 젖은 머리칼을 쓸어넘기며 외할머니는 생각했다.

10

오 초 정도 되는 그 시간을 통해서 외할머니는 자신이 원했건 원하지 않았건 엄마를 받아들일 준비를 마쳤다. 하지만 마침내 엄마의 알찬 주먹을 손가락에 감아쥐었을 때, 외할머니는 아랫배에 회칼이 쑤욱 들어오는 것 같은 통증을 느꼈다. 방 밖에서 막 순두부찌개를 한 입 떠넣으려던 남자 간호사는 숟가락을 든 채 뛰어들어왔다. 엄마가 처음이자 마지막으로 들은 외할머니의 음성은 찢어지는 비명소리였다. 아직 세상을 분간하지 못했던 엄마는 그제야 눈을 번쩍 떴다.

외할머니는 남자 간호사에게 외할아버지의 전화번호를 가르쳐주었다. 그녀는 한때 자신이 없애려고 했던 한 줌의 생명을 꼭 끌어안고 간호사의 손을 붙잡으면서 하염없이 울었다. 생각해보면 외할머니는 그때 겨우 열여섯 살이었다.

"버리지 말고 꼭 전해주세요. 버리지 마세요."

책장을 넘기듯이, 외할머니는 숨을 거뒀다. 남자 간호사는 외할아버지의 집에 전화를 걸었다. 간호사의 말이 이해되기까지는 시간이 좀 걸렸다. 전화기 저편에서 한동안 침묵이 흘렀고 곧 사람들이 들이닥쳤다. 싸움, 드잡이, 비명소리, 울음 같은 것들이 한차례 지나가고 나자 일들은 거의 해결되었다. 하지만 이제 그만 집에 가야지, 하며 뒤를 돌아봤을 때 거기에 엄마가 있었다. 그들은 인상을 썼다.

키가 육십 센티미터나 되었던 엄마는 팔다리를 버둥거리며 끊임없이 우유를 삼켰다. 오 킬로그램이 넘어 발그레한 볼이 미어지게 웃었지만 사람들은 한 번도 엄마를 안아주지 않았다. 엄마는 외할아버지의 먼 친척의 이웃이라는 노파에게 맡겨졌다.

노파는 공정한 사람이었다. 한 달에 한 번씩 부쳐오는 돈으로 엄마를 키우면서 엄마에게 갈 몫을 줄여 자신의 몫을 늘리는 짓은 하지 않았다. 밥을 시키지도 않았고 빨래를 시키지도 않았으며 걸레질, 설거지도 언제나 자기가 했다. 등짝을 내리치지도 않았고 욕설을 내뱉거나 큰 소리로 야단을 치지도 않았다. 하지만 노파는 동시에 자장가를 불러주지도 않았고 머리를 땋아주지도 않았으며 첫 걸음마에도 첫 옹알이에도 손뼉을 쳐주지 않았다. 날이 저물면 문을 닫고 자기 방으로 들어가버렸다. 그는 공정하기만 했던 것이다.

노파는 한결같이 엄마를 내버려두었다. 엄마는 사는 게 너무 싱거워서 우는 법을 잊어버렸다. 두 사람은 서로를 좋아하지도 싫어하지도 않았다. 같은 자리에서 밥상을 세 번 마주하고 나면 해가 저물었다. 엄마는 심심함을 달래기 위해서 자라기를 계속했다. 깡마른 팔과 다리는 물오른 나뭇가지처럼 쑥쑥 늘어났다. 다섯 살짜리가 열세 살짜리 옷을 입는데도 노파는 별말이 없었다. 밤이면 뼈가 자라는 소리가 들릴 만큼 쉼 없이 키가 컸다. 엄마는 자신의 팔과 다리가 벽을 뚫고 나가 노파의 머리를 톡톡 건드리는 상상을 하며 어둠속에서 잠들었다.

엄마는 초등학교에 들어가서야 뭔가 잘못됐다는 것을 알아차렸다. 중학교는 길 건너라는 지적을 하루에 수십 번씩 들으며

12

일학년 교실로 비척비척 걸어들어가면 아이들은 반으로 나뉘어서 엄마를 놀리거나 무서워했다.

"너는 악마니?"

열심히 포즈를 바꿔보았지만 문득 창문을 바라보면 거기 비친 엄마의 모습은 토끼떼 사이에 끼어든 타조 같았다.

선생님과 똑같은 옷을 입고 등교하다가 마주친 날, 엄마는 처음으로 학교에 결석했다. 아무도 찾지는 않았지만 사실 엄마가 숨어 있던 곳은 학교 화장실이었다. 모두가 빠져나가고 난 뒤 학교의 캄캄한 복도를 걸어나올 때도 엄마는 비참함 때문에 두려움을 느끼지는 않았다.

"이런 옷은 사오지 마세요."

집에 돌아온 엄마는 벽을 보고 누워 있는 노파를 내려다보며 말했다.

"어른들이 입는 거잖아요."

노파는 아무 말이 없었다. 엄마는 평소와 다름없는 노파의 반응이 서운해서라기보다, 답답해서라기보다, 어떤 이상한 느낌 때문에 노파의 어깨를 짚어 흔들었다. 노파의 바위처럼 굳은 몸은 차가운 방바닥에 단단하게 부딪혔다. 노파는 숨을 쉬지 않았다.

엄마는 찬찬히 노파의 얼굴을 들여다보았다. 눈을 감고 있는 노파의 얼굴은 아무 의미도 없이 낯설기만 했다. 상실감이 짜릿하게 등줄기를 타고 올라왔다.

사람들이 찾아왔을 때 엄마는 처음 보는 노파의 아들에게 꾸벅 인사를 했다. 그는 노파의 방에 들어가 서랍이란 서랍은 모두 열어보더니 떠나기 전에 신발을 고쳐신으며 엄마에게 '계속 이곳에서 살아도 좋다'고 말했다.

마을 사람들은 엄마가 열일곱 살쯤은 되었으리라고 짐작하고 있었다.

"말만한 처자가 제 앞가림은 할 수 있겠지, 조금 맹해 보이기는 하지만 말이오."

그 사이에 머쓱하게 서 있던 외할아버지의 먼 사촌은 끝내 입을 다물어버렸다. 유일하게 진실을 알고 있으며 앞으로도 계속해서 생활비를 전해줘야 할 책임이 있던 그 사람이 침묵함으로써 여덟 살짜리 엄마는 다 허물어져가는 집에 혼자 남겨졌다.

학교에서 보내주는 급식찌꺼기들로 연명하며 한 해를 보냈지만 엄마는 굴하지 않고 그해 12월에 백육십 센티미터를 넘겼다. 이학년이 되면서 엄마의 성장은 조금 다른 양상을 띠기 시작했는데, 흔히 이차성징이라 부르는 것이었다. 가슴이 욱신거려서 밤이면 이불을 친친 감고 방바닥에 엎드린 채로 겨우 잠들 수 있었다. 털이 난 자신의 겨드랑이를 본 엄마는 뜨거운 물을 뒤집어쓴 것처럼 아연해져서 길을 걷다가 차에 치일 뻔했다. 여전히 친구는 없었다. 잔인한 놀림은 날이 갈수록 농도를 더해가서, 엄마로 하여금 이렇게도 살 수 있는 질긴 자신에 대한 놀라움과 감탄을 가지게 했다.

하지만 더욱 외로운 기분이 드는 것은, 그 모든 아이들을 용서

14

할 수 있다는 마음이 일 때였다. 엄마에게 그 아이들은 너무 작고 약해 보였다. 그것은 경멸에서 한 걸음 더 나아간, 바람 빠진 풍선 같은 감정이었다. 열기 없는 엄마를 놀리는 데 흥미를 잃은 아이들은 금세 또다른 악마를 찾아내서 단죄하기 시작했다.

공공연하게 드러났던 악의가 사라지고 나자 엄마는 자신이 은퇴한 스타처럼 느껴졌다. 아이들은 이제 엄마에게 아무런 관심을 갖지 않았다. 엄마는 무대에서 내려와 한숨을 내쉬었다. 담임 선생님은 엄마를 불러 검은 봉지를 건네줬다. 엄마는 봉지 속에 든 것이 브래지어라는 걸 누가 가르쳐주지 않았는데도 알았다. 그렇게 엄마는 첫 브래지어의 호크를 홀로 잠갔다.

수업이 끝나면 엄마는 남은 급식을 싼 보자기를 들고 백칠십 센티미터의 삐쭉 자란 키로 분식점 근처를 어슬렁거렸다. 시골의 장터란 박정한 곳이 아니라서, 운 좋은 날 분식점의 할머니들은 말갛게 쳐다보고 있는 엄마에게 찌그러진 핫도그를 공짜로 주곤 했다. 엄마는 두 손으로 소중하게 핫도그를 받쳐들고 그 정제되지 않고 누린내 나는 기름기를 듬뿍 빨아들였다. 그럴 때 엄마의 그득한 마음이란 더도 아닌 열 살짜리 계집아이의 것이었다.

"삼학년이지 너, 키다리."

머리를 빡빡 깎은 길 건너 중학교의 남자애들은 종종 길에서 엄마를 불러세웠다. 그러고는 위아래로 엄마를 훑어보는 것이었다.

"우아, 정말 크잖아."

네 명의 남자애들은 자지러지게 웃으며 땀을 흘렸다. 엄마는 도통 재미가 없었으므로 고개를 돌렸다.

"이것 봐라, 너 좀 혼나야겠다. 선배가 말하는데 딴청을 피워?"

피식거리며 가장 건들거리던 축이 엄마의 옷을 끌어당겼다. 그들은 엄마를 중학교 운동장 한구석 등나무 뒤로 데리고 갔다.

"이런 일이 일어나는 건 모두 네 탓이야."

그 일은 한 번으로 끝나지 않았다. 엄마는 죽을래로 시작해서 미안해로 끝나는 그 관계를 잘 이해하지 못했다. 노곤하고 쓰라린 감각뿐이었다. 그들은 두 명씩 짝을 이뤄서 엄마를 찾아왔다. 중학생들이 다녀가고 나면 엄마는 몸을 추스르지도 않고 눈을 감아버렸다. 무서워서라기보다는 어떻게 대처해야 할지 몰랐기 때문에 엄마는 몇 계절이 지나도록 그 자리에 머물러 있었다.

성장통이 시작된 것은 그때부터였다. 그것은 길고 긴 싸움의 시작 같은 것이었다. 종아리와 허벅지의 근육을 쥐어짜는 듯한 그 고통은 밤마다 열어주지도 않은 문틈으로 비집고 들어와서 엄마의 몸을 타고 올랐다. 비명을 지르지 않으려고 하도 이를 악물어서 낮에는 온종일 잇몸에 피가 흘렀다.

"몸이 너무 아파요. 정말이에요."

중학생들은 식은땀을 흘리는 엄마의 모습을 보고 무서운 생각이 들었다. 그들은 경련을 하듯이 고개를 끄덕였다. 그리고 신중

16

하게 뒷걸음질쳤다. 자기들 사이에 어떤 추측이 있었는지, 이후로는 엄마를 찾아오지 않았다. 엄마는 몇 개월 뒤 중학교의 졸업식이 있던 날 부모님의 까만 코트에 매달려 멀어지는 그들의 뒷모습을 멀찌감치서 바라보았다. 그들을 본 것은 그게 마지막이었다.

성장통을 겪으면서 엄마는 더욱 빠르게 자랐다. 그 집에서는 초침도 헥헥헥헥— 숨 가쁘게 움직였다. 엄마의 키는 백팔십 센티미터를 지나 백팔십오 센티미터가 되었을 때 망설이듯 잠시 멈추더니 곧 속았지, 하고 백구십 센티미터를 훌쩍 뛰어넘었다. 학교에 다녀야만 급식을 먹을 수 있었기 때문에 엄마도 중학생이 되었다.

중학교에서는 아무도 엄마의 사정을 알아주지 않았다. 선생님이란 사람은 냉정하기만 했고 공정하지도 않았다. 엄마는 늘, 배가 고팠다. 그 시기의 배고픔이란 전쟁 같은 것이었다. 실제로 엄마는 하루에 한 끼를 먹거나 그마저도 거르기가 일쑤였다. 그럼에도 자고 일어나면 손가락과 발가락이 한 마디씩 길어져 있었다. 그것은 이상한 영양관계였다.

오래 전에 작아진 운동화를 꺾어신고 휘청휘청 학교를 향해 가던 엄마는 어느 날 아침 어느 집 대문 옆에 버려진 돼지머리를 보았다. 창백한 살빛의 돼지머리는 고소한 냄새를 풍기며 번들거리고 있었다. 엄마는 그것을 지나쳐 일곱 걸음쯤 걸었다. 그리고 이내 걸음을 멈추었다. 엄마는 뒤를 돌아보았다. 돼지머리는 어떤 표정을 짓고 있었는데 엄마에게 그것은 긍정, 한없는 긍정처럼 보였다.

엄마는 큰 키에 어울리지 않게 재빨리 움직였다. 행동이 생각보다 앞서서, 자신도 얼마간의 시간이 흐른 뒤에야 상황을 이해하게 되었다. 우선 돼지머리는 체육관 비품실로 옮겨졌다. 엄마는 초조함과 조바심으로 온종일 다리를 떨었다. 기다림은 한편 감미로웠다.

마침내 오후가 오자 엄마는 체육관으로 들어섰다. 체육관이라고는 하지만 창고에 가까운 그곳은 평화로운 유기(遺棄)의 집합소였다. 수년 동안 퇴적된 먼지들과 흙 묻은 공들, 주인을 알아볼 수 없이 뒤섞인 땀냄새 사이에서 엄마는 아침에 숨겨둔 돼지머리를 찾아냈다. 엄마는 그것을 곧 구해놓은 봉투에 넣으려고 했다. 그런데 그때 어떤 참을 수 없는 욕구가 가슴을 조이듯 일어났다.

엄마는 자기도 모르게 돼지머리의 육질을 뜯어내서 입에 넣고 삼켰다. 기쁨이라고밖에 말할 수 없는 만족감이 일어났다. 엄마의 손은 날렵하게 살점을 뜯어나갔다.

포만감이 찾아들자 막이 걷히듯이 두런거리는 소리가 들려왔다. 멀리서 울리는 것만 같던 그 소리는 사실 바로 옆에서 들리는 것이었다. 엄마는 고개를 들어 경악한 표정으로 자신을 바라보고 있는 여고생들과 체육교사를 마주했다. 돼지머리는 살점이 반만 남아 있었다.

18

"우리 학교 학생이 아니지?"

입술을 들썩거리던 체육교사는 엄마를 향해 물었다. 엄마는 손을 내려 치마에 문질렀다. 미끈거리는 손을 등뒤로 숨기고 고개를 끄덕였다. 체육교사는 울 것 같은 표정의, 이미 울고 있는 여고생들을 모두 내보냈다. 그리고 엄마에게 다가가서 말했다.

"타 학교 학생은 체육관에 들어오지 못하게 되어 있어."

엄마는 귀가 안 들리는 아이처럼 교사의 어깨 너머 허공을 뚫어져라 보다가 다음 순간 후닥닥 달려나갔다. 그날 밤 엄마는 이 센티미터 더 자라서 백구십이 센티미터가 되었다. 며칠 뒤에 엄마의 교실로 고등학교 체육교사가 찾아왔다. 체육교사는 담임선생님을 복도로 불러 무슨 얘긴가를 나누면서 엄마를 힐끔거렸다.

엄마는 그렇게 농구를 시작하게 되었다. 체육영재라는 이름으로 중학교에서 적을 옮긴 엄마는 하루아침에 고등학생이 되었다. 엄마는 하루 다섯 시간씩 농구공을 튀기고 얼마간의 용돈을 받았다. 더이상 수업 따위는 받지 않아도 되었다. 고등학교 농구팀에서는 게임의 룰보다 선배의 룰이 더 중요하다는 것을 곧 배웠고, 규칙을 숙지하고 나자 그리 괴로울 일은 없었다. 무엇보다 유니폼을 입는 일은 근사했다. 엄마는 센터를 맡아서 골대 밑을 지키고 있다가 외곽에서 던져주는 공을 손쉽게 바구니에 집어넣었다. 동료 선수들은 엄마의 안일한 방식에 불만과 시기를 품었지만 어쨌거나 엄마는 팀의 황금손이었다. 감독은 예민해진 선수들에게 말했다.

"그래도 저애 덕분에 랭킹이 오르잖니. 너희들 대학 보내주는 손이야, 저게."

경기가 끝나면 땀에 젖은 선수들은 더운 숨을 내뿜으면서 샤워실로 달려갔다. 엄마는 유니폼을 평상복으로 갈아입고 회식이 시작될 때까지 로커룸 구석에 앉아 있었다. 고요한 그곳은 텅 비어 있을 때도 멀리서 들리는 물소리와 십대 여자애들의 뜨거운 냄새로 언제나 포화상태였다. 엄마는 그 세계가 주는 나른함에 곧잘 잠이 들었다. 늘 뒤늦게서야 일어나 주위를 두리번거렸지만 그땐 모두가 떠난 뒤였다. 엄마를 두드려 깨워주는 사람은 아무도 없었다. 엄마는 로커룸에서 낮잠을 자다가 이 미터를 넘어섰다. 감독은 종마가 새끼를 낳은 것처럼 기뻐했다.

근처 학교의 감독들은 엄마를 찾아와 친절한 목소리로 지금의 세 배가 넘는 성과급과 대학교 장학금에 대해서 얘기했다.

"그렇지만 전 지금도 충분해요."

그때마다 엄마는 고개를 저었다.

"제가 가면 우리 팀은 어떻게 해요."

계절은 겨울이었다. 코트가 없어도 엄마는 아무렇지 않았다. 팀원들이 모여 있는 회식장소에 들어가면 엄마는 아무도 바라보지 않는 말미에 앉았다. 그리고 묵묵히 고기를 먹었다. 그것이면 다였다.

여고 농구부가 재정난과 이사회의 분쟁으로 인해 사라질 때까

20

지 엄마는 그 학교에서 농구를 했다. 엄마는 자신의 존재가 완전히 실패는 아니라는 것을 농구를 통해서 배웠다.

실업팀으로 이전했을 때 엄마의 키는 이 미터 십구 센티미터였다. 언젠가부터 문이란 문은 모두 고개를 숙이고 들어가야 했다. 농구공처럼 단단하게 굳은살이 박인 손은 남자의 손보다 더 두껍고 컸다. 굳이 남자 여자를 따지지 않아도, 엄마는 자신보다 더 큰 사람을 볼 수 없게 됐다. 세상의 규격에 따르기 위해서 엄마는 허리를 굽혔다.

돈이라면 적지 않게 벌었지만 엄마에겐 도무지 쓸 곳이 없었다. 이 땅의 스무 살들을 위해 넘치고 흘러 홍수를 이루는 소모품들이 엄마에게는 일말의 소용도 없었다. 남자를 만나지도 않고 친구도 사귀지 않았으므로, 무엇이든 쌓이기만 했으므로, 엄마는 더욱더 자라는 수밖에 없었다.

연습이 없는 날이면 엄마는 홀로 커다란 체육관에 남았다. 좀처럼 사적인 말을 건네지 않는 감독은 가끔 엄마에게 책을 빌려주었다. 엄마는 글자를 따라 읽으며 시간을 보냈다.

그 무렵 엄마는 늘 그 자리에 있었지만 한 번도 인식해본 적이 없는 외로움을 느꼈다. 엄마는 몸에 맞는 옷도, 신발도, 버스도, 의자도, 침대도 없는 스무 살이었다. 항상 난감해하는 사람들에게 괜찮다고 웃어 보였지만 실은 자신이 조금도 괜찮지 않다는 것을 엄마는 뒤늦게 깨달았다.

엄마는 몸을 고치처럼 말고 누웠다. 생각아 멈춰라. 엄마는 자신에게 중얼거렸다. 생각아 멈춰라. 생각아 멈춰라. 생각아 멈춰라. 멈춰다오. 엄마는 이 미터 이십 센티미터가 되었다.

그때 갑자기 밖에서 요란스러운 소리가 들렸다. 엄마는 창문을 열고 무슨 일인가 내려다봤다. 일층 정문 앞에는 붉은 띠를 두른 열댓 명의 사람들이 모여 있었다. 그들은 목청을 다해 고함을 질러댔다. 피켓에는 가혹수사, 위원장, 행방불명 등의 핏빛 글씨가 페인트를 뚝뚝 흘리며 씌어 있었다. 엄마는 그 동안 그런 풍경을 자주 보아왔지만 그날만은 왠지 마음이 끌려 한참 동안 아래를 내려다보았다. 언제나처럼 채 이 분도 못 돼서 시위는 진압됐다. 사람들은 쓰러지며 끌려나갔고 엄마는 더욱 밖으로 몸을 내밀었다.

엄마의 길쭉한 상반신이 나와 있는 모습은 건물 밖에서 아주 괴상하게 보였다. 시위대 중 한 사람이 흠칫 놀랐다가 곧 엄마가 혐오와 열광을 동시에 받는 농구스타임을 알아봤다. 그 사람은 본부로 돌아와서 엄마에게 긴 편지를 썼다.

생애 처음 받아본 편지에서 사람들은 엄마의 이름을 다정하게 부르고 있었다. 엄마는 뭔가 착오가 있는 것이라 생각하고 처음 두 번은 편지를 뜯어보지도 않았다. 세번째 편지를 받은 날 엄마는 약도를 따라 그들을 찾아갔다.

"경기는 잘 보고 있어요."

그들은 난로의 불을 키우고 엄마에게 담요를 가져다줬다. 율무차는 따뜻하고 달았다.

22

"동참해주시면 저희에게 큰 힘이 될 거예요. 사람들의 이목을 끌 수 있으니까요."

엄마는 도자기 찻잔을 만지작거리면서 그들의 말을 꼼꼼히 다 들었다. 아이들은 어른들이 까놓은 밤을 집어먹으며 엄마를 신기하게 올려다봤다. 그들은 저녁을 먹고 가라면서 라면을 끓였다. 성탄절이 얼마 남지 않은 때였다. 창문에 김이 서려 바깥 풍경이 희미하게 보였다.

그날 이후 엄마는 매일 모임에 나가서 사람들과 같이 율무차를 마셨다. 농구연습은 계속 연기됐다. 감독은 경고와 협박을 퍼부어댔지만, 그러거나 말거나 엄마는 오후가 되면 사라져버렸다. 위원장의 딸은 엄마에게 털실로 모자를 떠주었다. 엄마는 겨울 내내 모자를 벗지 않았다. 엄마는 그들과 함께 거리로 나가서 시위에 참여하고 여러 장의 사진을 찍고 대책회의를 하고 간혹 농구를 했다. 그러다가 어느 날 체육관으로 갔더니 엄마의 짐은 모두 밖에 나와 있었다. 본사에서 나온 직원은 계약해지서를 들이밀었다. 엄마는 가진 돈을 전부 벌금으로 물어야 했다.

"어째서 너한테 있는 단 하나를 이렇게 버리는 거지?"

감독은 체육관을 떠나는 엄마의 뒤에 대고 화가 나서 소리를 질렀다. 그는 산처럼 쌓여 있는 농구공들을 와르르 무너뜨렸다.

엄마는 여자 농구계의 황금손이었으므로 어디든지 갈 곳이 있을 것이라고 생각했지만, 사실 그건 좀 복잡한 문제였다. 엄마는 자신의 사소한 삶에 누군가 손을 썼음을 알게 되었다. 엄마를 받아주려고 하는 실업팀은 한 군데도 없었다.

"어차피 농구를 하기엔 너무 지친 상태였어."

엄마는 불이 꺼진 본부의 시멘트 바닥에 누워 잠을 청했다. 다음날 아침 엄마를 발견한 사람은 비명을 질렀다. 엄마는 부스스 웃으면서 놀라지 말라고 손을 저었다.

사람들은 엄마에게 농구팀으로 돌아가야 한다고 말했다. 거기를 나온 것은 잘한 일이라고 말해주는 사람은 한 명도 없었다. 엄마는 털실모자의 올을 꼬면서 그들의 말을 들었다.

"하지만 이제는 돌아가고 싶어도 못 가요."

엄마는 자신의 인생 어디로도 돌아가고 싶지 않았다. 지금이 가장 편하다고, 이렇게 따뜻해본 적은 처음이라고 생각했다. 사람들은 불편하게 헛기침을 했다.

그 조직이 평범한 의미의 조합이 아니었음을 안 것은 나중의 일이었다. 엄마는 천진한 표정으로 전화를 받고 상담을 해주었지만 사실 모임에서 그런 일은 조금도 중요한 게 아니었다. 사람들은 괜히 엄마를 끌어들였다고 후회했다. 조합은 정치적인 입장에서 매우 위험한 수위를 오르내리고 있었다. 엄마는 그걸 조금도 이해하지 못했다.

엄마가 오랫동안 항해하고 싶었던 그 배는 얼마 못 가 서서히 침몰하기 시작했다. 정치인인 조합의 배후자가 누명을 쓰고 불리한 입장에 처하게 되자 아래 조직원들은 모두 경찰의 조사를 받았다. 사람들이 구명조끼를 입고 탈출해나가는 것을 보면서도

24

엄마는 자리를 지켰다. 조합은 조각조각 잘려나갔다. 엄마는 곧 하나의 잘린 끈이 되어 경찰서의 지하로 연행되었다. 무지했으므로, 엄마는 겁이 나지 않았다.

경찰은 엄마를 어두운 방으로 데려갔다. 한동안 다른 일은 일어나지 않았다. 엄마는 그저 그곳에 방치되었다. 두 명의 남자가 방으로 들어왔을 때는 반가운 마음마저 들었다. 그들은 엄마의 키를 보고도 별로 놀라지 않았다. 한 명은 젊은 축이었고 다른 한 명은 나이가 좀 들어 보였다.

"김진수 알지?"

대뜸 첫마디가 그것이었다. 엄마는 처음 듣는 이름의 그 사람을 모른다고 대답했다. 그러자 젊은 축의 남자가 무표정하게 다가와 엄마의 얼굴에 두건을 씌웠다. 순식간에 어둠과 악취, 그보다 더 큰 두려움이 찾아왔다. 그들은 버둥거리는 엄마의 손과 다리를 의자에 단단히 묶은 후에 다시 물었다. 김진수 알지? 엄마는 어깨를 떨면서 대답했다. 정말 몰라요.

동시에 구타가 시작됐다. 야구방망이는 온 힘을 다해서 엄마의 몸을 내리쳤다. 질문은 반복됐지만 엄마는 정말 김진수를 몰랐다. 그들의 구타와 발길질에는 어떠한 인정의 여지도 없이 살기와 증오만이 가득했다. 있는 줄도 몰랐던 고통스러운 감각들이 엄마의 온몸에서 비늘처럼 돋았다. 엄마의 억눌린 신음소리와 그들의 거친 숨소리가 섞였다. 엄마는 자신과 그들 모두를 구하고 싶었다.

"알, 알아요. 네, 알고 있어요."

비가 멎듯이 소리와 몸짓이 모두 멈췄다. 하지만 엄마는 거기서부터 시작이라는 것을 몰랐다. 두건 속에 갇힌 엄마는 꼬리를 물고 이어지는 질문과 거짓 대답의 고개를 넘어가야 했다.

그들은 엄마가 처음부터 아무것도 몰랐다는 걸 잘 알고 있었다. 그런데도 그들은 구두 신은 발로 엄마를 짓이겼다. 잔인하게 일그러지는 그들의 얼굴과 욕설 속에서 엄마는 어떤 무력감을 읽었다. 그들 자신도 눈치채지 못한 것이, 엄마에게는 보였다. 엄마는 맥이 빠져버렸다.

조합에서는 대부분의 문제를 엄마에게 덮어씌웠다. 엄마와 조사관들 사이에는 순수한 폭력만이 남았다. 엄마는 아무런 부인도 하지 않았다. 희망이라고는 보이지 않던 그 캄캄한 방에서 엄마를 구해낸 것은 실업농구팀의 감독이었다. 엄마의 소문을 듣고 경찰서로 직접 찾아온 그는 여러 가지 번거로운 증명서류에 도장을 찍은 후 엄마를 빼냈다. 그것이 있는 그대로의 사실이었기 때문이 아니라, 감독이 알고 지내는 실권자의 도움으로 엄마의 사상은 결백해졌다.

끌려나온 엄마를 보는 감독의 눈은 차가웠다. 엄마는 구치소에서 그새 오 센티미터가 더 자라 있었다. 그녀는 갓 태어난 사슴처럼 몸을 가누지 못하고 허방을 짚었다. 그는 엄마를 데리고 가서 설렁탕을 먹였다. 엄마는 무척 고마웠기 때문에 입을 벌리고 웃다가 상처난 입술이 찢어졌다.

26

"당신 같은 바보들을 위해서 하나님이 계시기를 바래."

감독은 딱 한마디를 했을 뿐이었다.

"하지만 저는, 하나님 같은 건 믿지 않아요."

허겁지겁 설렁탕을 입속에 밀어넣으며 엄마는 말했다. 구치소 앞 설렁탕집 주인은 웬만한 인간 군상에는 놀라지 않는 사람이었지만 엄마가 설렁탕을 다 먹고 씩씩하게 일어섰을 땐 기겁을 하며 물러섰다. 엄마는 감독의 뒤를 어린아이처럼 따라 걸어갔다. 감독은 이제 그만, 하고 돌아서려 했지만 엄마에게 이제 그만 돌아갈 곳 따위는 없었다.

"더이상 팀에서 뛸 수는 없을 거야. 그건 알고 있겠지."

"상관없어요, 전."

상관없다고 툭 내뱉는 그 여자의 말, 그리고 중력과 상관없이 자꾸만 위로 뻗어나가는 여자의 몸이 너무나 위태로웠기 때문에 감독은 엄마의 팔을 잡았다. 여자의 팔에는 힘이 실려, 살아 있는 존재를 느낄 수 있었다. 처음에는 여자를 위로하기 위해서였지만 나중에는 오히려 자신이 더 위로받았다. 감독은 다짐을 받듯이 엄마의 눈을 바라보았다. 그것은 동정이나 연민일 수도 있었지만 결국 사랑과도 다르지 않았다. 여자의 몸은 크고 아늑했다. 감독은 엄마가 처녀가 아닌 것에 대해 농담을 했고 엄마는 웃었다.

감독은 엄마보다 스무 살이 더 많았다. 게다가 그는 이미 아내와 집, 자동차와 애완견, 여드름투성이의 두 아들까지 있는 남자였다. 감독은 엄마와 그 무엇도 시작할 수 없었다. 어떠한 약속도 할 수 없었다. 그저 절대로 잊지 않고 찾아오는 것—감독이 해줄 수 있는 것은 그뿐이었다. 엄마는 그것만으로도 좋았고, 감독이 주는 돈을 그에 대한 답례로 받았다. 그 관계에서는 누구도 상처받지 않았다. 그러므로 나쁘지 않았다.

감독은 집으로 돌아가야 할 때마다 미안함 때문에 화를 냈다. 엄마는 부르르 떨리는 그의 등을 손으로 쓸어내렸다. 그럴 때면 전직 농구선수인 그 근육질의 남자는 작은 곰인형처럼 엄마에게 머리를 기댄 채 숨을 내쉬었다. 그 모습은 다소 기이해 보였지만, 그들에게게만은 천국 같은 것이었다.

단 한 번 엄마는 텔레비전에 나온 감독의 아내를 본 적이 있었다. 그날 엄마는 배달 온 야채를 다듬는 중이었다. 뉴스에서 프로농구팀 소식이 나오자 칼질을 하던 엄마는 빙그레 웃으면서 화면을 쳐다봤다.

"이번 플레이오프 시즌에서는 이감독의 활약이 두드러졌는데요, 지금 경기장에 아내와 함께 자리한 모습이 보입니다. 자, 그럼 리포터에게 연결해보겠습니다."

엄마는 숨을 멈췄다. 화면 속의 감독은 당황한 모습이 역력했지만 부인은 아주 침착하게 웃으면서 인터뷰에 응했다. 검정색 카디건 세트를 입은 그 여자는 엄마의 짐작보다 더 나이가 들어 보였다. 다른 프로그램으로 넘어갈 때까지 텔레비전을 쳐다보고 있던 엄마는 조용히 전원을 껐다. 그리고 다듬던 야채를 깨끗이

28

손질해서 밥상을 차렸다. 열두 평짜리 방에 언제나처럼 혼자 앉은 엄마는 공연히 밥을 두 그릇이나 먹었다. 낙지볶음은 너무 매워서 자꾸만 콧물이 나왔다.

그것이 하나의 암시이기라도 한 듯 얼마 뒤에 감독의 부인은 병에 걸렸다. 병원에서는 희귀병이라고만 할 뿐 아무 손도 쓰지 못했다. 의사는 별수가 없다고 어깨를 내리면서 단, 외국의 병원으로 간다면, 이라고 단서를 붙였다. 감독의 두 아들은 학교도 가지 않고 짐을 쌌다. 감독에게는 선택의 여지가 없었다.

"금방 돌아올게. 좋아지는 대로 돌아올 거야. 다른 생각은 하지 마."

감독은 눈에 뭐가 들어갔나봐, 하면서 자꾸만 눈을 깜빡거렸다. 엄마는 감독의 눈에 바람을 불어넣어주었다.

"전화 자주 할게."

감독은 한 말을 몇 번이나 반복했다. 엄마는 좀처럼 나서지를 못하고 현관에서 머뭇거리는 감독의 등을 쓸어내렸다. 그리고 힘을 주어 지그시 밀었다. 문이 닫히고, 느릿느릿 구둣발 소리가 멀어져갔다. 그 소리는 끝나지 않을 것처럼 작아지다가 마침내 멎어버렸다. 한두 번, 그 구두 소리가 갑자기 커지면서 다가오는 것처럼 들려 놀란 엄마는 도어렌즈에 눈을 갖다댔다가 돌아섰다.

엄마는 감독이 다시 돌아오지 못할 거란 걸 알고 있었다. 그래도 엄마는 감독을 기다렸다. 그것 말고는 달리 할 일도 없었기 때문이다.

그리고 엄마는 다시 자라기 시작했다. 마치 그 동안의 부진을 보상하려는 듯한 기세였다. 엄마는 감독이 떠난 뒤에야 그를 사랑했음을 깨달았다. 고마움과 존경으로 시작됐지만 그것도 결국 사랑이었다. 엄마는 가끔 감독의 아내를 떠올렸다. 감독이 주고 간 번호는 언제나 그 자리에 있었지만 엄마는 결코 전화를 걸지 않았다.

엄마의 발가락은 늘 이불 밖으로 튀어나와 있었다. 매일 아침 엄마는 자신의 발이 얼마나 더 튀어나와 있는지를 보면서 성장을 가늠했다. 그것은 마치 일기쓰기 같은 것이었다. 엄마는 나날이 꾸준하게 자라서, 어느새 이 미터 사십 센티미터가 되어 있었다. 성당처럼 높았던 그 집의 천장도 결국 엄마의 머리에 닿고 말았다. 위협을 느낀 이웃 사람들은 119에 전화를 걸었다. 무장한 소방수들은 엄마가 솟아오른 불길이라도 되는 것처럼 사이렌을 울리며 찾아왔다.

"저는 누구도 해치지 않아요."

엄마는 소방관들에게 말했다. 엄마의 목소리는 종소리처럼 하늘에서 울렸다. 소방관들은 자기들끼리 잠시 회의를 하더니 물호스를 거두면서, 앞으로 더 자라지 않도록 주의하시오, 라고 확성기에 대고 말했다.

팔짱을 끼고 찾아온 부녀회장은 성장을 멈추는 주사를 맞는 게 좋을 것이라고 했다.

"거인병은 다들 그렇게 고쳐요. 아직도 몰랐나요?"

30

그 이야기를 전할 때 여자의 귓불에서 금으로 만들어진 작은 나비가 흔들렸다. 엄마는 그것을 지그시 바라보았다.

엄마는 그들의 말대로 하지 않으면 자신이 더이상 그곳에서 살 수 없으리란 걸 잘 알고 있었다. 그 방법이라는 것도 사실 생각보다 단순했다. 엄마는 몸을 반으로 접듯이 하고 벽에 기대어 앉았다. 반대편 거울에 자신의 얼굴이 비쳤다.

"하지만 지금까지 한 일이라곤 자란 것밖에 없는데."

그야 그렇지, 하듯 거울 속의 엄마가 어깨를 으쓱했다. 엄마는 몹시 피곤함을 느꼈다. 서늘한 기운에 몸을 최대한 웅크렸다. 엄마는 어둑어둑해진 방 한쪽에서 무릎에 기댄 채로 눈을 감았다. 그리고 꿈을 꾸었다.

이건 꿈이야, 나도 잘 알고 있지, 하는 기분이 들 때가 있다. 그때가 그랬다. 엄마는 꿈속에서 잭의 콩나무처럼 구름 위로 멈추지 않고 자랐다. 무섭다거나 두렵다는 생각은 들지 않았다. 그 성장은 정말 기분좋은 속도감이었다.

고개를 숙여보니 세상의 일들이 모두 한눈에 들어왔다. 거기에서 엄마는 낯익은 두 사람을 만났다. 그것은 죽은 외할머니와 노파의 영혼이었다. 엄마는 두 사람을 서로에게 소개해주려고 했으나 그들은 이미 친구였다. 외할머니는 노파에게 고맙다고 고개를 끄덕여 보였다.

아버지가 된 남자 중학생들은 엄마와 두 손 모아 악수를 했고 정치인이 된 조합원들은 엄마에게 깨끗한 한 표를 부탁했다. 엄마는 기꺼이 투표를 했다. 눈물을 멈추지 못하는 조사관들에게 손수건을 건네준 엄마는, 이내 병든 아내와 함께 영국식 아침식사를 하는 아빠를 발견했다. 엄마는 그에게 행운의 키스를 보냈다. 엄마는 차례로 그들을 지나갔다. 그리고 뒤를 돌아보지 않았다.

나빴던 일들은 하나도 생각나지 않았다. 엄마는 헤어짐을 받아들였다. 그리고 그들이 행복하기를 바랐다. 그것은 믿기지 않을 만큼 평화로운 기분이었다. 꿈속에서 엄마는 자신의 몸이 빵처럼 부풀어오르는 것을 느꼈다. 뭔가 부드럽고 따뜻한 촉감, 폭신하며 향긋한 느낌이 밀려왔다. 그것은 살고 싶은 마음이 들 때마다 엄마를 가득 채웠던 성장이었다.

엄마가 눈을 떴을 때는 이른 새벽이었다. 완전히 깨어나지 않은 엄마는 천장에 머리를 찧지 않도록 조심조심 일어나서 물을 마셨다. 물맛은 아주 개운하고 맑았다. 엄마는 낡은 장롱에서 두꺼운 이불을 꺼내 깔았다. 그리고 베개 위에 머리를 가만히 뉘었다. 엄마는 온몸을 쭉 폈다. 팔다리의 근육에 무척 시원한 기분이 들었다. 엄마는, 어떻게 되더라도 이상한 주사 같은 것은 맞지 않겠다고 다짐했다. 크게 되는 것만은 나의 의지였으니까, 라고 엄마는 중얼거렸다. 그렇게 말하고 나자 많은 것들이 선명해졌다. 엄마는 한동안 천장을 바라보다가 다시 잠이 들었다.

그때 나는 엄마의 안에서 자라고 있었다. 감독이 떠나기 전날 나는 엄마의 집을 두드렸다. 엄마의 집은 아주 반갑게 나를 받

32

아들였다. 그곳은 원래 나의 자리였던 것처럼 긴 여행에 지친 나를 품어주었다. 나는 조용히 엄마에게로 내려앉았다. 엄마를 사랑하기는 아주 쉬웠다. 이제 엄마도 혼자가 아니었다.

엄마의 심장박동은 점차 안정적으로 변했다. 나는 마음을 놓고 그 소리에 귀를 기울였다. 이불을 끌어당겨 따뜻하게 덮는 엄마. 훈기는 금세 온몸에 퍼졌다. 우리는 동시에 편안함을 느꼈다.

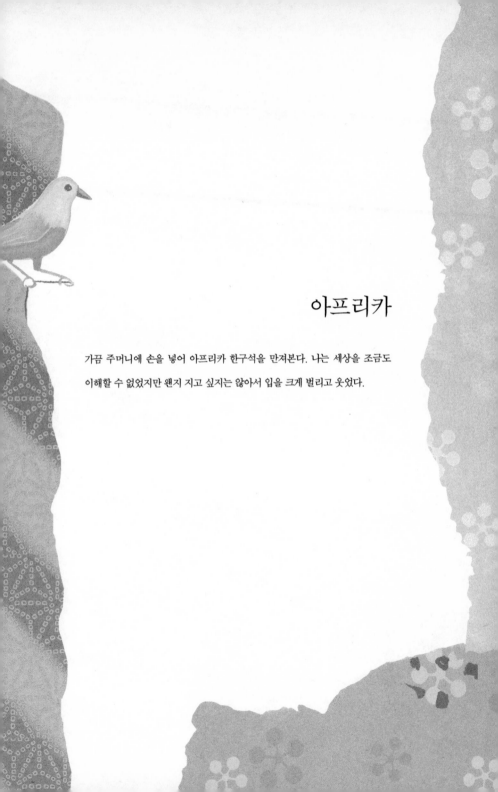

# 아프리카

가끔 주머니에 손을 넣어 아프리카 한구석을 만져본다. 나는 세상을 조금도 이해할 수 없었지만 왠지 지고 싶지는 않아서 입을 크게 벌리고 웃었다.

내 주머니 속에는 아프리카가 들어 있다. 위로가 필요할 때마다 나는 주머니에 손을 넣어 그것을 만져본다. 사장 할머니에게 혼이 났을 때, 몸이 아플 때, 언니들과 다투었을 때, 나쁜 손님을 겪었을 때. 나는 가게의 뒷골목으로 빠져나와서 아무도 보지 않는 구석에 쪼그려 앉는다. 그리고 아프리카 대륙의 끝자락을 만져본다. 뜨거운 햇살과 돌연변이 새들, 초원의 야생동물들이 나를 콕 콕, 찌른다. 그러면 웃음이 난다. 기분이 한결 나아진다.

어려서부터 나는 동물을 좋아했다. 생명을 갖고 움직이는 것이라면 무엇이든 좋아했지만 그중에서도 하마와 치타, 뱀 같은 동물에 특히 사족을 못 썼다. 인간과는 친해질 가망이 없어 보이는 것들, 손을 내밀면 이빨을 드러내며 으르렁거리고 덥석 물어버리는 쪽에 언제나 마음이 더 끌렸다. 그들이 그러는 게 사실은 두려움 때문이라는 걸 알 것 같았기 때문이다. 하지만 언젠가 그런 동물과 마주치게 되면, 한 발 더 다가서는 대신 못 본 척 돌아서줄 것이다. '나는 널 이해해.' 마음속으로만 중얼거리면서. 그것이 내가 생각하는 존중이다.

내 주변에도 애완동물을 키우는 언니들이 많았지만 오래가는 경우는 보지 못했다. 어린 동물들이 적응하기에 가게생활은 너무 불규칙적이기 때문이다. 대개가 주인의 변덕스러운 생활패턴을 견디지 못하고 병에 걸리거나 집을 나가버리고 만다. 그래서 나는 머릿속으로 상상하기만 한다. 부끄러움이 많은 동물 한 마리가 몰래 내 방에 숨어 있다고. 그렇게 생각하면 늦은 밤에 몰려오는 피로나 외로움 같은 것도 제법 견딜 만하다. 불을 끄고 누웠을 때 어디선가 작은 소리가 들리면 눈을 뜨지 않고 속삭인다.

"잘 자."


가게에서 제일 조용한 시간은 아침나절이다. 웬만해선 다들 자기 방에서 나오지 않는다. 사장 할머니가 부엌과 거실을 들락거리는 게 전부다. 따로 배우지 않아도 이곳에 오면 저절로 알게 된다. 아침시간에는 뭐든지 말갛게. 말소리도 행동도, 말갛게. 그것만은 서로가 지켜줘야 하는 부분이다. 밤새 손님을 겪은 언니들에겐 헐떡거림, 침, 그리고 이리저리 쓸린 몸뚱이만 남아 있다. 그들에게는 지난밤을 희석시킬 고요가 필요하다.

아침잠이 없는 나는 혼자 유령처럼 가게를 떠돌아다니곤 한다. 방문을 열면 언니들이 죽은 사람처럼 잠들어 있는 모습을 볼 수 있다. 언니들은 입을 벌리고 완전히 무방비상태로 드러누워 있다. 낙천적인 아가씨들이라고 하지 않을 수 없다. 나는 언니들의 발치에 엎드려서 만화책을 읽는다.

나는 인생에서 대부분의 책을 여기에 와서 읽었다. 어렸을 때 내가 자란 곳은 책 같은 것을 읽기엔 문제가 많았다. 어머니는 나를 낳고 삼사 년쯤 후에 집을 떠나버렸다고 하니 그녀에 대한 기억은 조금도 갖고 있지 않았다. 아버지는 한 달에 한두 번 음식과 인형을 들고 나를 찾아왔다. 조용히 귀를 기울이면 들리는 것이라곤 내 숨소리뿐인 집이었다.

나는 혼자서 냉동음식을 먹고 텔레비전을 보면서 아버지를 기다렸다. 사팔뜨기가 될 정도로 현관문만 바라보던 날도 있었고, 온종일 창밖으로 목을 내밀고 길거리를 내려다보던 날도 있었다. 내 기다림을 병에 담으면 수천 번도 더 그 색깔이 변하는 것을 볼 수 있었을 것이다. 나는 매번 아버지를 용서했다.

아버지는 내 존재를 보류해둔 채 새 가정을 이루었고, 그후로는 나를 등장시킬 타이밍을 영영 놓쳐버렸다. 우리 관계는 오랫동안 변하지 않았다.

아버지를 떠난 것은 열한 살이 되던 해였다. 집을 나오던 날 나는 아버지의 등에 유리 조각을 박아넣었다. 등을 찔린 순간 아버지는 무척 놀랐지만, 곧 차라리 다행이라는 듯한 표정을 지었다.

"안녕히 계세요."

나는 쓰러진 아버지의 옷을 뒤져 지갑을 꺼내 나왔다. 아버지는 피를 흘리는 와중에도 살짝 고개를 끄덕여 보였다. 나는 침착하게 신발을 신고, 멀리멀리 걸어갔다.

나는 동네에서 알고 지내던 남자애를 따라갔다. 그애는 나를 자기 무리에 소개했는데, 한눈에 봐도 가진 게 없는 아이들이었다. 싸구려 옷을 입고, 지저분한 얼굴에, 눈동자에만 힘이 들어간 그 아이들은 인상을 쓰듯 어색하게 웃으면서 나를 받아들였다.

무리와 떠돌아다니는 동안 나는 완전히 다른 방식을 익혔다. 더이상 혼자 밥을 해먹는 일은 없었지만, 남자애들이 달라붙어 귀찮게 굴 때가 많았다. 임신한 여자애들은 가차없이 버려졌다. 나는 아랫배가 풍선처럼 부풀어오르다가 팡, 터지는 악몽을 꾸곤 했다.

이곳에 올 때까지 많은 일이 있었지만 이제 그건 아주 옛날 일처럼 희미해졌다. 나는 괴로웠던 기억은 잘 잊어버린다. 생각나는 건 낄낄대며 웃었던 일들, 신나게 소리를 질렀던 일들뿐이다. 이를테면 남자애들과 바이크를 타고 지구 한 끝에서 다른 끝까지 날아다니던 밤, 양손을 머리 위로 올리고 고개를 젖혀 새까만 하늘을 바라보던 순간은 아주 생생하게 떠올릴 수 있다. 나는 세상을 조금도 이해할 수 없었지만 왠지 지고 싶지는 않아

40

서 입을 크게 벌리고 웃었다.


정오가 지나면 언니들은 방문을 열고 비틀거리면서 밖으로 나온다. 화장기 없이 커다란 파자마를 입은 언니들은 매일 보는 사이인데도 조금 쑥스러워하며 소파에 앉는다.

"커피 좀."

미영 언니는 착 가라앉은 목소리로 커피를 주문한다. 옆에서 수진 언니도 비시시 웃으며 손을 든다. 나는 막내답게 날렵한 자세로 일어나서 물을 끓인다.

언니들은 속이 쓰리다고 난리를 피우면서도 눈만 뜨면 커피부터 찾는다. 김이 모락모락 올라오는 커피를 입 안에 머금고 눈을 감은 언니들의 얼굴은 꽤 어려 보인다. 조금만 생각해보면 그건 언니들의 나이에 딱 맞는 모습이다. 뽀얀 피부에 스물서너 살 된 아가씨들의 모습. 둘러앉아서 말없이 커피를 마시고 나면 언니들의 눈동자도 차츰 생기를 띤다.

"오늘은 옆집 가게 정리한다던데. 어떻게 돼가나 모르겠네."

수진 언니는 창문의 커튼을 젖히고 옆집을 내다본다. 그곳에서는 아무 소리도 들리지 않는다.

"사장이 어제 이삿짐센터 불러와서 전부 비웠대. 애들 몸만 나가면 될걸."

미영 언니가 뜨거운 커피를 홀홀 마시면서 말한다.

폐업을 신고한 가게들의 벽에는 일제히 빨간색 철거 표시가 붙었다. 이제 골목 안에 영업을 하는 가게는 채 절반도 되지 않는다. 남은 가게들은 업주들의 보상금 합의가 될 때까지 시위영업을 하고 있다. 구청에서 걸려오는 전화도 받지 않는 건 우리 가게뿐이다. 사장 할머니는 영업금지법령을 대책없이 무시하고 있다.

골목 곳곳에선 이미 공사를 시작해서, 한낮부터 여기저기 건물을 부수는 소리가 들린다. 가게가 전부 철거되면 주민들을 위한 잔디공원이 건설된다고 한다. 이 골목에 운동복을 입은 사람들이 나타나 조깅을 하고 줄넘기를 할 거라고 생각하면 벌써부터 머리가 어질어질하다.

"다른 가게들도 금방 다 정리되겠지?"

수진 언니가 조그맣게 중얼거린다.

"자리만 옮기는 건데, 뭐."

미영 언니는 큰 소리로 말하고 어깨를 으쓱거린다. 그러면서도 쉽게 가게를 떠나지 못하는 걸 보면 언니도 두려운 게 분명하다. 여길 떠나서 갈 곳이라고는 뻔한 것이다. 열 명이 넘던 언니들은 차례차례 가게를 떠났다. 이제 남은 사람은 수진 언니와 미영 언니, 그리고 나뿐이다. 가게에서 제일 겁이 많았던 세 사람만 남은 셈이다.


사장 할머니는 점심때가 되면 낡은 자전거를 타고 가게로 나온다. 할머니는 부엌으로 들어가서 점심을 짓고 가게 청소도 한다. 혼자서 꾸물꾸물 일을 하다가, 구청 사람들이 다가오기라도 하면 자리에서 일어나 자전거를 타고 멀리 가버린다.

"노인네가 부끄러운 것도 모르고. 이때껏 아가씨들 데리고 이만큼 해먹었으면 됐지 말이야!"

구청 사람들이 목소리를 높이면 할머니는 코웃음을 친다.

"말은 쉽다, 이놈들아."

언젠가 할머니는 말했다. 자기는 한평생 스스로에게 속았기 때문에 이제 누구에게도 속지 않는다고. 사장 할머니는 일생을 오로지 아들만을 위해서 살았지만 그 아들이란 사람은 할머니가 가진 걸 전부 빼돌린 뒤에 연락을 끊어버렸다. 그는 어머니를 수치스러워했다. 이제 할머니에게 남은 것은 이 가게 하나뿐이다.

"내가 이 장사를 접으면 하루아침에 책방을 할 거냐, 식당을 차릴 거냐. 살기는 계속 살아야 되고, 나나 애들이나 어디로 흘러갈지는 안 봐도 뻔한 기다."

할머니 말대로, 골목을 떠난 업주들은 전부 불법 안마시술소나 마사지숍을 차렸다. 언니들 역시 단체이동이라도 하듯 그곳으로 자리를 옮겼다. 골목 철거 명령을 내린 사람들의 속마음이 어떤 것인지는 알 길이 없지만, 언니들을 보면 한 가지는 분명하게 알게 된다. 누구든지 하루아침에 삶을 바꿀 수는 없다는 것이다.

이곳에 오기 전에 내 삶은 환각제에 흠뻑 취해 있었다. 바이크를 타는 애들과 어울리다가 손대기 시작한 것이었는데 내 진행속도가 제일 빨랐다. 증세가 심해지자 아무 데서나 구역질을 했고, 경련에 시달렸다. 걸핏하면 피를 흘리고 쓰러졌기 때문에 친구라고 불렀던 애들도 전부 내 곁을 떠났다. 약에 취해서 새벽의 거리를 헤매다보면 몸이 붕붕 떠올라 날아갈 것만 같았다.

하늘로 날아가는 대신 길바닥에 고꾸라진 나는 청소년보호소로 보내졌다. 당시에 나는 내 이름도 제대로 발음할 수 없었다. 축 늘어진 몸으로 정신을 잃은 나는 몇 달간 잠만 잤다. 보호소의 새하얀 천장을 바라보다가 다시 까무룩 잠드는 것이 일과의 전부였다. 열에 들뜬 밤이면 스스로의 체온에 깜짝깜짝 놀라서 깨어나곤 했다.

깨끗한 침대에 누워서 과일주스를 마셔댄 덕분인지 점차 내 몸은 기운을 되찾았다. 처음에는 주먹을 쥘 힘도 없었는데 시간이라는 것, 그리고 젊음이라는 것이 신기했다. 계절이 지나자 한 발로도 땅 위를 뛰어다닐 수 있게 되었다.

퇴소 후 보내진 자립센터에서, 나는 채 보름도 견디지 못했다. 본디 참을성이 없는 성격인데다 사람들의 이유 없는 호의를 믿지도 못했던 것이다. 거리로 나오자 또다시 찢어진 비닐봉지처럼 내처지는 일의 반복이었다. 거리에서 겨울을 버티다가 이 골목으로 들어왔을 땐 집에라도 돌아온 기분이었다.

가게에 온 첫 날, 사장 할머니는 내게 작은 방을 내주었다. 나

44

무로 된 탁자와 솜이불 두 채가 들어 있는 방이었다.

"이제 막 보일러 넣었으니까 따뜻해질 기다."

사장 할머니가 방에서 나간 뒤 나는 주위를 두리번거리며 자리에 앉았다. 탁자 위에는 누군가 버리고 간 책이 몇 권 있었다. 그중 커다란 책 한 권이 삐죽 튀어나온 것이 보였다. 나는 책을 끌어당겼다.

선명한 노란색 표지의 그 책은 아프리카에 대한 내용을 담은 것이었다. 책장을 열자 지원아, 까지 쓰고 만 메모가 보였다. 나는 점퍼도 벗지 않고 이불채에 기대 책을 읽었다.

아프리카 땅이 건조해진 것은 2500만 년 전의 일이다. 대륙의 판이 갈라지면서 갑자기 기후에 변화가 생겼고 어느 날부터 타는 듯한 고온이 시작됐다. 비가 내리기를 멈추자 아프리카 땅에 남은 생물들은 진화하거나 멸종할 수밖에 없었다.

살아남기를 택한 동물들이 변화한 모습은 조금 우스꽝스럽고, 조금 외로워 보였다. 나는 입 안에 수증기가 고이도록 온종일 고개를 숙이고 사는 얼룩무늬원숭이를 바라보았다. '곤란하기는 누구나 마찬가지구나.' 점차 공기가 덥혀지자, 나는 옷을 벗고 방바닥에 엎드렸다.

페이지마다 실린 정글과 사막, 사바나와 산맥의 사진은 실제처럼 생생했다. 나는 먼 하늘에서 찍은 아프리카 대륙의 모습을 바라보았다. 그 땅은 꼭 심장의 모양을 닮아 있었다.

가게의 불이 모두 환하게 켜지면 그때부터는 누구든지 안으로 들어와 시간을 보낼 수 있다. 언니들과 나는 홀에 나가서 앉아 있기도 하고 거리에서 손님을 데려오기도 한다. 일한 만큼 돈을 벌기 때문에 수입은 각자 차이가 크다.

장사를 시작하기 전에 사장 할머니는 유난히 공들여 유리창을 닦는다. 할머니는 유리창이 더 깨끗하게 닦일수록 좋은 손님이 들어온다고 믿는다. 나는 수진 언니와 옥수수를 뜯어먹으며 사장 할머니가 뽀드득뽀드득 유리창을 닦는 것을 바라본다. 골목의 가게들이 점점 비어가고 있으니 그것은 할머니로서도 얼마 남지 않은 의식이다.

행운을 부르는 의식이라면, 나에게도 사장 할머니의 유리창처럼 매일 닦고 또 닦는 것이 하나 있다. 언젠가 옷가게를 차리는 상상을 하는 것이다. 부드러운 천으로 된 원피스와 티셔츠를 한가득 걸어놓고 그 사이를 걸어다니는 상상을 해본다. 입구에는 구슬로 엮은 모빌을 걸어놓고 환한 조명도 곳곳에 달아둘 것이다. 가게의 평수, 인테리어, 벽지 색깔, 마네킹의 포즈까지 수도 없이 그림을 그려봐서 옷걸이 몇개가 어디에 걸려야 하는지도 정확히 떠올릴 수 있다.

반복해서 그런 생각을 하다보면 손님을 받는 일이 괴롭게만 느껴지지는 않는다. 지금 하는 일이 아주 뜨거운 징검다리처럼

46

여겨진다. 맨발로 그것들을 딛고 가는 건 몹시 힘든 일이지만 다리라는 걸 잊지 않으면 된다. '저쪽 뭍에 닿을 때까지만'이라고.

"솔이 왔네."

귀가 밝은 수진 언니가 가게 구석에서 보지도 않고 중얼거린다. 과연 조금씩 음악소리가 가까워진다. 나는 자리에서 벌떡 일어나 길 끝을 바라본다. 멀리서부터 흔들흔들 리어카를 끌고 오는 솔이 보인다.

각설이 엿장수인 솔은 일주일에 세 번씩 이 골목에 온다. 그의 과거를 정확하게 아는 사람은 없지만, 그의 체격을 보면 대부분 왕년에 건달짓을 했겠군, 추측하게 된다. 피부색이 어두운데다 작은 눈이 길게 찢어져서 더욱 그렇게 보이는 것이다.

솔은 예술적인 화장을 하고 각설이춤을 춘다. 하늘색 물감으로 그린 탱글탱글한 콧물들이 진짜처럼 실감난다. 그 큰 어깨를 이리저리 움직이면 찢어진 천조각들이 같이 흔들린다. 나는 지칠 때마다 유리창에 기대고 그 춤을 한없이 바라본다. 현란한 몸짓에 정신을 팔다가 돌아서면 공터처럼 마음이 텅 비어버린다. 쓸데없이 복잡한 것보다는 그편이 확실히 낫다. 눈이 마주치면, 그는 내게 윙크를 해준다.

솔은 커다란 구형 카세트를 리어카에 싣고 골목 사이를 누빈다. 그의 음악은 가게 안에서도 다 들릴 만큼 시끄럽지만 사장 할머니는 그게 장사에 도움이 된다고 별 저지를 하지 않는다. 그 요란한 트로트 메들리들을 듣고 있으면 시간이 빠르고 단순하게 흐른다. 그나마 솥이 있어서 골목의 빈 자리가 메워지는 느낌이다. 엿을 녹여 먹으며 〈사랑의 트위스트〉 같은 노래에 다리를 까딱거리고 있으면 손님도 금세 더 많이 찾아온다.

찾아오는 손님 중엔 오래된 단골도 있다. 화물차 운전을 하는 사십대의 카드 아저씨는 내가 이 일을 시작한 초기에 만난 손님이다. 무슨 의리 같은 것인지 이후로는 매번 나를 찾아오는데, 횟수는 꼭 삼 개월에 한 번이다. 올 때마다 화대를 삼 개월 할부로 끊고 가기 때문이다.

"조금만, 조금만 더 있자."

추가금액을 감당할 수도 없으면서, 그는 언제나 나를 붙든다. 걸핏하면 술을 먹이려고 해서 조심하지 않으면 같이 취해버리고 만다. 그는 자기가 노총각이라고 했다가, 아내가 있다고 했다가, 러시아에 아내를 구하러 간다고 거짓말을 늘어놓는다.

그는 가끔 온 힘을 다해서 내 목을 그러잡지만 이내 힘없이 손을 떨어뜨려버리고 만다. 방에서 나오면 아저씨는 그 커다란 손으로 카드전표에 꼼꼼히 사인을 한다. 반복적으로 그 사인을 보지만, 매번 나는 그의 이름을 잊어버리고 만다.

밤이 깊어지면 온갖 부류의 사람들이 가게로 들어온다. 차를 몰고 와서 유리창 안을 몇 번씩 훑어보고 들어오는 남자들은 까다로운 주문을 하는 경우가 많다. 그럴 때 언니들은, 당황하지 않는 게 중요하다고 가르쳐줬다. 겪을 만큼 겪다보니 나도 이제

48

웬만한 일에는 잘 놀라지 않는다. 곤란을 느끼는 횟수가 줄어들자 손님을 상대하는 일도 훨씬 수월해졌다. 손님들의 기묘한 행각이란 늘 상상을 초월한다. 그 모든 것에 일일이 반응한다면 정신이 온전하게 남아나지 못할 것이다.

몸 상태를 조절하는 건 우리 일에서 제일 중요한 기술이다. 요령을 피울 줄 모르면 금세 체력이 바닥나버린다. 나는 가게에서 보이는 고층 빌딩의 창문들을 기준으로 세우고 마음속으로 하나둘 불을 켠다. 열 개를 채우기 전에 지쳐버리면 새벽 장사는 물 건너가고 마는 것이다.

자정이 넘으면 솔도 장사를 접고 집으로 돌아간다. 그는 한겨울에도 너덜거리는 각설이 옷에 화장을 지우지도 않고, 온갖 살림살이를 다 실은 리어카를 묵묵히 끌고 간다. 집으로 돌아갈 때 그는 카세트의 음악을 바꿔 트는데, 물결 같은 목소리의 여자들이 부르는 오페라 음악이다. 그는 언젠가 내게도 그 음악의 제목을 가르쳐주었다. '부디 바람이 잠잠하기를.' 길게 끌리는 각설이의 누더기 옷과 오페라 아리아는 묘한 조합을 이뤄서 길을 가던 사람들도 멈추어 서서 리어카의 행보를 한참 동안 바라보곤 한다.

솔이 떠나고 맞는 새벽 두세시경이, 내게는 하루 중 가장 견디기 힘든 시간이다. 그 시간에 하늘은 깊은 바닷속의 색깔 같아서 가만히 바라보고 있으면 호흡이 가빠온다. 길 건너에 있는 아파트의 불빛도 모두 꺼지고 창문에서는 사람들의 잠든 숨소리가 새어나온다. 그때의 풍경을 선명한 정신으로 바라보는 것은 괴로운 일이다. 세상의 일원이 아닌 것만 같은 기분, 언제까지나 거기에 속할 수 없을 것 같은 불안함이 나를 짓누른다.

그즈음 들어오는 손님들은 대개 술에 취해서 몸을 가누지도 못하는 경우가 많다. 이미 반복된 동작에 지친 나와 언니들은 소리없이 그들과 함께 방으로 들어간다. 그들을 지탱하기 위해서, 거부하지 않기 위해서, 시작한 일들을 끝마치기 위해서.

다른 사람들이 살아가는 방식에 대해서라면 나는 아는 것이 조금도 없다. 그들의 절망이 어떤 모양일지, 짐작도 할 수 없는 것이다. 내가 아는 것은 물개처럼 젖은 눈을 한 언니들이 내뿜는 희뿌연 담배연기, 남자들이 끝도 없이 밀고 들어오는 새벽, 죽고 싶을 때마다 대신 바라보려고 손목 아래 그려놓은 빨간 점선 같은 것뿐이다. 가끔 주머니에 손을 넣어 아프리카 한구석을 만져본다. 순간순간을 넘기면 하루가 지나간다. 의미도 목적도 없지만, 내 몫의 하루도 공평하게 지나가는 것이다.


"기억하시는 대로 말씀해보세요."

아나운서의 말에 여자는 눈을 깜빡이기만 했다. 화면 속의 그 여자는 은은한 회분홍색의 스웨터를 입고 있었는데 나는 꼭 어디선가 그 옷을 본 것만 같아서 간질간질한 기분을 느꼈다.

그날, 아침부터 비가 내렸고 나는 일찌감치 눈을 떠서 잠을 이루지 못하고 있었다. 나는 고개를 돌려 새벽에 비운 휴지통을

50

빤히 바라보다가 자리에서 일어났다. 화장실로 가서 휴지통을 세제거품으로 몇 번씩 흔들어 닦고, 그런 뒤에 새 비닐을 씌워 방으로 가져왔다. 그것은 내가 틈이 날 때마다 해대는 일이었다. 나는 바깥의 빗소리가 들리도록 창문을 조금 열었다. 그리고 아무 생각 없이 앉아 있다가, 텔레비전을 켰던 것이다.

"이름 말고는…… 아무것도 아는 것이 없습니다. 사진이 한 장 있고요. 1987년…… 서울생이에요. 이름은 임유진."

여자는 낮은 목소리로 단어를 하나하나 짚어가듯 발음했다. 카메라는 여자가 들어올린 사진을 똑바로 클로즈업해서 비추었다. 창문에서 들이친 빗방울들이 내 목덜미에 와 닿았다. 그 때문에 선득한 기운이 팔을 타고 올라왔다. 고개를 숙인 여자의 앞머리가 흔들렸다.

"…… 찾을 수만…… 있다면…… "

여자는 내내 출렁거리던 뭔가를 토해내듯 울기 시작했다. 아나운서가 여자의 마이크를 받아들었고, 방청객들은 손수건으로 눈물을 닦았다. 화면의 하단에서 여자가 찾는 사람의 이름과 나이가 커다란 자막으로 지나갔다.

나는 엉거주춤 일어나 창문을 닫았다. 내내 휴대폰이 울리고 있었는데 소리를 알아차린 것은 한참이 지난 뒤였다.

그날은 온종일 비가 내려 오가는 손님도 없었다. 언니들과 나는 그치지 않는 비를 쳐다보며 홀에 앉아 있었다. 사장 할머니는 유리창 옆에서 다홍색 사과의 껍질을 깎았다. 나는 빗방울이 떨어지는 걸 보면서 사과 한 개를 다 먹었다. 그리고 자리에서 일어나 솔을 찾아갔다.

"무슨 일인가, 친구?"

리어카를 고정시키고 있던 솔은 허리를 일으키고 나를 바라봤다. 나는 그에게 바짝 다가섰다.

"여길 뜨게 되면…… 그때, 우리 같이 갈래?"

솔은 말없이 한동안 나를 바라보더니 뭐, 라고 되물었다.

"같이 가면 어떨까 해서."

내 우산에서 떨어진 빗방울들이 솔의 얼굴 위에 물감과 함께 흘러내렸다. 그의 눈썹이 부드럽게 휘어졌다.

"미안해. 난 팀플레이는 믿지 않아."

솔은 살며시 내 손을 잡았다가 이내 놓아주었다. 바람이 강하게 불어서 나뭇잎들이 휘청휘청 파도처럼 움직였다.

그 밤 내내, 유난히 발이 시렸다. 이불 속으로, 뜨거운 아랫목으로 발을 들이밀어도 냉기가 가시지 않았다. 나는 식은땀을 흘리며 온몸을 뒤틀다가 결국 두 손으로 발을 움켜쥐고 겨우 잠이 들었다. 나는 밤새 동그란 공이 되어서 정신없이 언덕을 굴러가는 꿈을 꾸었다. 아침이 되자 손과 발이 말랑말랑해져 있었다.

"여기서 뭐 해? 한참 찾았잖아!"

가게 뒷골목에 앉아 있는 나를 본 수진 언니가 소리를 지른다. 나는 재빨리 주머니에 손을 넣는다.

52

"뭐야?"

언니는 가까이 와서 내가 손을 감추는 모양을 내려다본다.

"아무것도 아니야."

"오늘 가게 전부 일찍 문 닫는대. 손님도 없고, 업주들 회의 한다고."

우산을 쓴 언니가 옆에 와서 쪼그려앉더니 작은 소리로 묻는다.

"무슨 고민 있어?"

"아니."

"요 며칠 계속 이상한데. 가게 일 때문에 걱정돼서 그러는 거 아니야?"

"아니야."

언니는 수상한 눈길을 보낸다. 나는 언니를 일으켜세워 집으로 향한다.

골목은 온통 새카맣고 조용하기만 하다. 한때 이곳에 가득했던 사람들은 더 어두운 곳으로 숨어들어서 이제 흔적도 찾을 수 없게 되었다. 텅 빈 유리창에 까만 골목길이 비친다.

"다들 우리만 두고 여행을 간 것 같아."

내 말에 수진 언니는 우울하게 웃는다.


미영 언니는 부엌에서 전골을 끓이고 있다. 냄비 속에서 당근, 표고버섯, 쑥갓, 숙주나물이 동그랗게 원을 이루며 보글보글 끓는다. 나는 언니들과 나란히 앉는다. 수진 언니가 가져온 맥주를 마시고, 쇠고기를 건져 먹고, 국자로 국물을 퍼서 밥에 부어 먹는다. 창밖에서는 계속 비가 내린다.

"비가 안 그쳤으면 좋겠다."

수진 언니가 말한다.

"노아의 홍수처럼?"

"응."

미영 언니가 수진 언니를 돌아본다.

"우리는 아마 당시에도 방주에 안 태워줬을걸?"

입을 꾹 다문 수진 언니를 보고, 미영 언니는 웃으면서 맥주를 따라준다.

"그래도 끝까지 제일 열심히 허우적거렸을 거야. 가라앉지 않으려고."

언니들은 고개를 끄덕이면서 담뱃불을 붙인다. 따뜻한 것을 먹은 뒤라 졸음이 온다. 허리를 벽에 대고 눈을 감자, 시야에 희미하게 분홍빛이 차오른다. 수천 마리의 홍학떼가 줄지어 선 아프리카의 호수 빛, 그리고 그 여자의 스웨터 빛.

'미안해.' 여자는 떨리는 목소리로 말했다. '너를 두고 가서 미안해.' 여자는 얼굴을 일그러뜨리며 눈물을 흘렸다. 남편과 아들, 딸이 나와서 그녀를 부축하려고 했지만 여자는 그들의 팔을 밀어냈다. 여자는 숨을 가누려고 애쓰며 몸을 떨었다. 그 어깨가 마이크에 부딪혀 자꾸 바람이 부는 것 같은 소리가 났다.

54

흐느끼는 여자의 울음소리가 이명처럼 귀에서 윙윙거린다. 수진 언니는 부엌에 가서 술을 더 가져온다. 오래 전, 환각제에 취해서 바라봤던 높고 낮은 불빛들이 떠오른다. 그때 그 빛은 늘 멀고 희미하게 보였다. 나는 주머니 속의 아프리카를 만지고 또 만진다.

"애가 또 딴청이네."

수진 언니가 손으로 내 머리를 콩 박는다. 미영 언니는 자리에서 일어나 음정도 안 맞는 노래를 부르고 있다. 나는 미영 언니를 끌어안는다. 축축하고 달콤한 냄새가 난다.

"징그럽게 애는!"

나는 밀어내는 언니의 가슴에 더욱 꽉 달라붙는다.


눈을 뜨자 이른 아침이다. 잠에서 깬 나는 방금 전 들은 소리 때문에 주위를 두리번거린다. 언니들은 이불도 없이 자고 있다. 나는 바닥에 어질러진 것들을 발로 슬슬 밀어내면서 바깥으로 나간다.

새벽까지 내린 비는 이제 다 그쳐, 고여 있던 물방울만 떨어지고 있다. 후덥지근한 공기가 느껴진다. 문밖에서 사람들이 큰 소리로 떠들어대는 소리, 어수선하게 오가는 소리가 들린다. 나는 고개를 살짝 내밀고 대문 밖을 본다.

좁은 골목을 서성거리는 사람들이 눈에 들어온다. 그들은 골목 안으로 포클레인을 밀어넣으려고 씨름을 하고 있다. 지휘자가 손짓을 하고, 운전대에 앉은 남자는 그에 따라 방향을 틀면서 조금씩 들어오고 나가기를 반복한다. 포클레인이 움직일 때마다 땅이 미세하게 흔들린다.

다른 가게 언니들도 모여서 그 풍경을 멀거니 구경하고 있다. 잠옷바지에 슬리퍼를 신고, 헝클어진 머리를 동여맨 여자들. 나는 다소 신기한 듯 그들을 바라본다. 그들의 표정은 곧 무너지는 것들, 무너뜨리려 밀고 들어오는 것들에 별 감흥도 없이 담담하다. '이런 일은 지금껏 일어나왔으며 앞으로도 일어날 것이다.' 그 사실을 잘 아는 사람의 눈빛이다. 그럼에도 그 눈빛은 체념이나 공포를 닮지 않았다. 팔짱을 낀 그들은 자기들끼리 무슨 농담인가를 주고받은 뒤에 픽 웃으며 안으로 들어간다.


사장 할머니는 올 시간이 한참 지났는데도 오지 않는다. 미영 언니와 나는 엉망이 된 거실을 대충 정리하고, 좀더 할머니를 기다린다. 할머니는 오지 않는다.

"목욕탕에나 갈까?"

벌떡 일어난 미영 언니가 목욕바구니를 챙기고 나선다. 수진 언니는 잠에서 덜 깨 눈도 잘 뜨지 못하는데 미영 언니는 그런 수진 언니를 뒤에서 자꾸 밀어댄다. 길거리를 지나가는 여자들이 우리를 흘금거린다.

목욕탕에 도착하자 미영 언니는 옷을 훌훌 벗고 곧장 뜨거운 열탕으로 들어간다.

56

"앗 뜨거!"

따라들어가려던 수진 언니는 열탕에 발가락을 넣어봤다가 기겁을 한다. 수진 언니와 나는 몇 번 더 시도해보다가 포기하고 바로 옆의 온탕으로 들어간다. 따뜻한 물결이 가슴팍을 넘실거린다. 뿌연 수증기 사이로 열심히 몸뚱이를 문질러대는 벌거벗은 여자들이 보인다.

"어디로 갈 거야, 이제?"

조용히 눈을 감고 있던 미영 언니가 저만치서 나지막한 목소리로 묻는다. 수진 언니는 말없이 고개를 뒤로 젖혀 긴 머리카락에 물을 묻힌다. 물 위에 떠다니는 먼지가 보인다.

미영 언니는 뜨거운 물로 힘차게 세수를 하고 탕에서 나온다. 물에 젖은 언니의 몸은 길고 가무잡잡하다.

"엊그제 들었는데, 옆집 애들 간 곳이 대우가 괜찮다더라."

목욕탕 안의 소리들이 함께 엉켜서 웅웅 울린다. 미영 언니가 말하는 곳이 어딘지는 모두 잘 알고 있다. 잘 알기 때문에 우리는 더이상 말을 하지 않는다. 목욕에만 열중한다.

나는 수진 언니의 뒤에 앉아서 등을 밀어준다. 손이 몇 번 갈 것도 없는 자그마한 등이다. 수진 언니의 어깨에는 커다란 창문 모양 문신이 있다. 어린아이 하나가 넋을 잃고 그것을 쳐다본다.

"한번 열어볼래?"

말을 끝내기가 무섭게 어디선가 나타난 아이 엄마가 아이를 데려간다.

겉모습이 변해버린 아프리카 동물을 생각해본 적이 있다. 그들이 과연 예전에 같은 종이었던 무리를 만날 수 있을지 궁금해진다. 만약에 만난다면, 그들은 서로를 해치지 않을 수 있을까.

책에 나온 대로라면, 이별한 종들은 다시는 합쳐지지 않았다. 하지만 거기에 구구절절한 사연 같은 것은 없다. 아프리카 동물들은 독자적으로 살아남았고, 그것이 그들이 바란 전부였기 때문이다.

얼굴이 발갛게 달아오른 언니들은 꼭 십대 여자애들처럼 보인다. 나는 선풍기 앞에 서서 바나나우유를 마신다. 미영 언니는 옷도 입지 않고 바닥에 앉아 발톱을 깎는다. 딱, 딱, 딱, 소리가 탈의실 안에 울린다.

"골목이 다 무너지기 전에는 아무 데도 가지 않을 거야."

젖은 머리카락을 말리고 있던 수진 언니가 자그마한 목소리로 말한다.

"계획이 생길 때까진, 여기 있을 거야. 지금은 달리 갈 데도 없잖아."

로션을 바르고 가방에 손을 넣어본 나는 흠칫 놀란다. 그 안이 물기로 흥건하다. 목욕바구니에서 흐른 물 때문에 수첩은 전부 다 젖고 말았다. 얇은 종이들은 손으로 만지자마자 죽처럼 흐물흐물 녹아버리고 만다. 펜으로 적어놓은 것들도 넓게 번져버려서 알아볼 수 없다. 나는 물이 뚝뚝 떨어지는 수첩을 한참

58

바라보다가 휴지통에 던져넣는다.

목욕탕 밖으로 나오자 햇살이 생생하게 팔뚝에 와 닿는다. 언니들과 나는 처음 보는 나무 밑을 지나간다. 가지가 울퉁불퉁하고 고르지 못해서 어지간히 보기 흉한 나무다. 바람이 불자 못생긴 잎사귀들이 소리를 내며 흔들린다.

"속옷 사러 가야겠다."

미영 언니가 불쑥 중얼거린다.

"어떤 걸로?"

"그냥 속옷이면 돼."

햇살이 주위의 사물을 뜨겁게 비춘다. 새삼 모든 것이 한층 더 선명해진다. 어디선가 길게 새 우는 소리가 들린다. 우리는 돌아보지 않고 총총히 걸음을 옮긴다. 나는 주머니 속 깊숙이 두 손을 넣는다.

# 첼로 농장

나는 줄곧, 한 방향으로만 나 있는 터널 속을 걷고 있어. 그 길에서는 아무

것도 볼 수 없어. 희미한 빛과, 그 끝에서 들리는 음악만 있을 뿐이지.

주사위는 공중에서 두 번 회전하고 바닥에 떨어진다. 나의 빨간색 말이 아보카도 농장으로 들어간다. 나는 그곳에서 땅과 씨앗을 구입한다.

"아보카도랑 바나나 농장 수확이 제일 많은데."

볼멘소리로 리사가 말한다. 이어서 주사위를 던진 에밀리오는 소원의 오두막에 들어간다. 소원의 오두막에서는 갖고 싶은 농장을 아무거나 고를 수 있다.

"바나나, 당연히 바나나 농장이지."

에밀리오가 땅콩을 까먹으며 씩 웃는다.

숙소 밖에서는 쿵쿵대는 음악소리가 그치지 않는다. 파티는 매일 밤 새롭게 시작된다. 리사와 나는 파티를 좋아하지 않는다. 나는 소음을 견디지 못하고, 리사는 술을 마실 줄 모르는 까닭이다. 저녁이면 우리는 TV룸에서 만나 보드게임을 한다.

"너는 왜 갑자기 끼어들어서 내 게임을 망치는 거야?"

농장을 하나도 사들이지 못한 리사가 에밀리오를 흘겨보며 말한다. 에밀리오는 어깨를 으쓱하고 나를 바라본다. 스패니시인 그는 지난주부터 내 눈에 띄는 곳마다 나타나 어슬렁거리고 있다.

열린 문틈으로 누군가 스쳐 지나가는 게 눈에 띈다.

"유진! 같이 게임 할래?"

빗자루 같은 형상이 창문에 어른거리더니 키가 훌쩍한 남자애가 방 안에 들어선다. 덥수룩한 파란색 머리카락이 눈을 반쯤 가리고 있다. 그는 자기를 부른 게 맞는지 확인하듯 에밀리오를 바라보더니 조용히 고개를 돌리고 방에서 나간다.

"유령 같은 애야."

에밀리오가 맥주를 들이켜며 말한다.

"지난주부터 룸메이트가 됐어. 밤이면 침대에 우두커니 앉아 있어서 자다 가끔 깰 때면 얼마나 놀라는데."

그는 한국인이고, 독일 유학생이다. 리사와 나도 이미 알고 있다. 새 인물에 대한 정보는 도착한 지 한 시간도 안 돼 키부츠 안에 쫙 퍼지기 마련이었다. 자원봉사자들은 늘 새로운 소식, 새로운 인물에 목말라 있다. 며칠간 그와 같은 곳에서 일했던 노르웨이 여자애들이 말하기로, 새로 온 동양 남자애는 퉁명스럽고 매너가 없는 편이라고 했다. 나는 사 개월 만에 만난 한국인

64

에게 아무 감흥도 일지 않는다.

우리는 자정이 가까워서야 TV룸에서 나온다. 모닥불 근처에서 자메이카 풍 음악이 쿵쿵 울린다. 꽈배기처럼 엉켜서 춤을 추고 있는 애들이 보인다. 다음날 나와 같이 식당 일을 하게 된 리사는 짐을 챙겨서 내 방으로 온다. 에밀리오는 말없이 우리를 따라온다. 그는 머뭇거리다가 잘 자라는 말을 남기고 굿나이트 키스를 한다. 그의 손이 살짝 내 허리에 닿는다.

이스라엘의 키부츠에 들어온 것은 사 개월 전의 일이다. 협동 농장인 키부츠는 공동체집단으로, 세계 각국에서 이곳을 찾아오는 젊은이들을 위한 편의시설을 갖추어놓고 있다. 봉사자들의 노동력을 얻는 대신, 그들에게 여가와 숙식을 제공해주는 것이다.

함께 있던 룸메이트가 떠난 뒤 나는 혼자 이인용 침실을 쓰는 중이었다. 리사는 치실을 들고 거울 앞에서 한참 동안 씨름을 하더니 1.5리터 물을 벌컥벌컥 마시고, 안대를 쓴다. 빈 침대에 들어간 그녀는 숨소리도 내지 않고 금세 잠이 든다.

파티가 끝나는 때는 새벽 두시경이다. 애들이 모두 방으로 들어가고 나면 거짓말처럼 아득한 고요가 덮친다. 귀를 기울이면 먼 곳에서 차르륵, 차르륵, 스프링클러 돌아가는 소리가 들린다. 잠결에 창밖의 희뿌연 하늘을 바라볼 때면 내가 이스라엘의 시골 한구석에 살고 있다는 게 믿어지지 않는다.

그는 죽지 않았다.

꿈에서 깬 어느 날 밤, 나는 그 사실을 깨닫고 가만히 숨을 멈췄다. 키부츠에 들어온 지 석 달쯤 지난 때였다. 하루 종일 감자를 캐고, 접시를 닦고, 물고기를 손질하고, 밤이면 끙끙 앓으면서 잠이 들었던 초기의 적응기가 지나고 이제 일을 마친 오후면 나른한 쾌감마저 느낄 수 있게 되었을 즈음이었다. 문득 그의 존재가 물고기의 비늘처럼 반짝거리면서 내 머릿속에 떠올랐다.

그는 죽지 않았다. 그는 나와 헤어져, 나와 상관없는 사람으로, 여기서 한참이나 먼 내 조국땅의 한곳에 '여전히' 살아 있다. 한순간 그곳에서 들리는 그의 숨소리까지 느껴질 정도였다. 그 깨달음은 날카롭지도 차갑지도 않았다. 오히려 내 살갗처럼 미지근하고, 뭉툭하고, 부끄럽기도 한 것이었다. 나는 그것이 슬픔이라는 것을 알았다.

언니는 내가 충분히 울어야 한다고 했다. 그래야 다시 먹고, 말하고, 움직일 수 있다고. 한동안 나는 아무 생각도 할 수 없었다. 내가 누구인지, 무엇을 해야 하는지 온통 뿌옇기만 했다. 나는 배앓이를 하는 사람처럼 몸을 웅크리고 오랜 시간 한자리에서 일어나지 못했다. 언니는 일 년치 휴가를 모두 모아서 나와 함께 터키 여행을 떠났다. 일주일간의 여행이 끝날 즈음 언니는 고개를 가로저으며 소리를 질렀다.

"너는 지금 꼭 마네킹 같단 말이야. 뭘 봐도 놀라지도, 웃지도 않고. 이러면 네가 지는 거야. 모르겠어?"

66

언니가 화를 내며 걸어간 길 한가운데서 나는 우두커니 발끝만 바라보았다. 나는 내 존재가 거추장스러웠다. 고개를 두리번거리다가 허수아비처럼 옷을 입은 한국 애들을 만났다. 이스라엘 키부츠에서 일하는 그애들은 휴가를 얻어 여행을 온 참이라고 했다. 그애들은 땅바닥에 종이지도를 깔고 앉아서 딱딱한 호밀빵을 먹었다. 나는 언니와 같이 귀국하는 대신 이스라엘로 왔다. 새카맣게 그을린 한국 여자애가 고개를 끄덕이며 거기에서는 모든 걸 다 소진할 수 있어, 라고 이야기했기 때문이었다.

식당 일은 새벽 다섯시 무렵 시작된다. 리사와 나는 산처럼 쌓인 당근과 감자를 손질하고, 주방장 옆에서 간단한 조리를 돕는다. 리사는 키가 크고 유연해서 움직이는 것이 무용수 같다. 그녀는 한때 식이장애를 앓았다고 말한 적이 있다.

"음식을 먹고 토해내는 게 내가 아는 삶의 전부였어."

그녀는 어린아이처럼 손으로 눈을 비비면서 말했다.

"지금도 가끔 꿈을 꿔. 구토를 멈출 수가 없어서, 마지막까지 나를 토해내고, 결국 형체도 없이 사라져버리는 꿈."

그 이야기를 할 때 그녀는 모자를 꾹 눌러써서, 가느다란 콧날과 젖은 입술밖에 보이지 않았다. 그리고 그후로 다시는 자신에 대해 이야기하지 않았다.

아침 식당에서는 키부츠 안의 모든 멤버를 볼 수 있다. 지금은 대학의 방학기간이라 자원봉사자들의 수가 많은 편이다. 테이블 위에는 빵과 잼, 다섯 종류의 치즈, 삶은 계란, 오이, 토마토, 요구르트가 수북이 쌓여 있다. 남자애들은 믿어지지 않을 만큼 엄청난 양을 먹어댄다. 리사와 나는 바쁘게 부엌을 오가며 바닥난 음식을 다시 채운다.

자원봉사자들의 일과는 새벽에 시작돼서 정오 무렵 거의 마무리된다. 오후에는 일을 할 수 없을 정도로 햇볕이 뜨겁기 때문이다. 그후에는 긴 자유시간이 주어진다. 새벽부터 한 번도 자리에 앉아보지 못한 리사와 나는 점심 설거지가 끝난 뒤에야 한숨을 돌린다. 주방장은 일을 마친 우리에게 쌀로 만든 푸딩을 챙겨준다. 나는 길을 걸어가면서 흐물흐물한 푸딩을 입 안 가득 떠먹는다. 힘든 일을 마치고 숙소로 돌아올 때는 온몸이 들뜬 것 같은 부유감이 든다. 리사는 생각에 잠긴 듯 내게서 조금 떨어져 길을 걸어간다.

오후에는 햇볕 때문에 농장 전체가 일렁이는 것처럼 보인다. 나는 땀에 젖은 옷을 갈아입고 수영장으로 향한다. 수영장의 수면은 보석가루를 뿌려놓은 것처럼 반짝거린다. 차가운 물속 깊이 들어간 나는 전속력을 다해 트랙을 왕복한다. 마지막까지 숨을 참다가, 수면 밖으로 나와서 곧 죽을 사람처럼 숨을 헐떡인다. 태닝을 하고 있던 여자애들이 나를 흘긋 쳐다보고 다시 엎드린다. 심장이 비틀리는 것 같은 통증도 서서히 가라앉는다.

파티족들은 대개 낮잠을 자기 때문에 이 시간 키부츠 안에는 한밤 같은 고요함이 감돈다. 수영장에서 수영을 하는 사람은 나

하나뿐이다. 며칠째 테니스를 치러 가자고 조르는 에밀리오의 청을 리사와 나, 둘 다 거절했다. 리사는 책을 읽으러 도서관에 갔다. 나는 물속에서 다리를 첨벙거린다. 비키니 호크를 풀고 엎드린 여자애들의 몸이 햇볕과 같은 열기를 뿜는다.

풀 밖으로 나와 콜라를 마시는데, 저편 잔디밭에 누워 있는 빗자루 같은 형상이 눈에 띈다.

"안녕."

목소리를 높여 불렀는데도 대답이 없다. 자세히 보자 그애는 이어폰을 끼고 있다. 희미하게 흘러나오는 음악소리가 들린다. 허공을 바라보고 누운 그애의 팔다리는 굳은 듯 경직되어 있다. 나는 그처럼 절박한 표정으로 음악을 듣는 사람을 본 적이 없다.

피부가 뜨거워지면서 땀이 송골송골 맺힌다. 나는 다시 풀 속으로 들어간다. 천천히 배영을 하면서 숨을 내쉰다. 하늘은 구름한 점 없이 푸르다.

그주의 둘째 날, 나는 키부츠에서 운영하는 공장 일을 배정받는다. 나무상자를 만드는 공장은 숙소로부터 꽤 멀어서, 식당 앞에서 버스를 타고 이동한다. 차 안에 가득한 사람들은 모두가 키부츠닉(키부츠 안에 상주하는 이스라엘 사람들)이다. 그들과 똑같은 작업복을 입은 나는 흔들리는 버스 손잡이를 붙잡고, 멀어지는 농장을 바라본다.

모래벌판 위에 상자 모양으로 지어진 건물은 공장이라기보다 창고 같은 분위기다. 미리암이라는 여자가 컨베이어벨트 앞에 앉아 상자의 마감 처리하는 법을 보여준다. 상자 귀퉁이에 작은 고리를 거는 일인데, 기계가 돌아가자마자 그 속도를 따라잡지 못해서 몸이 자꾸 옆으로 밀린다. 젊은 남자들이 나를 보고 웃는 소리가 들린다.

점심시간이 되기도 전에 나는 완전히 녹초가 된다. 어깨에 경련이 일어나 뒤로 몸을 기대고 쉬는 참에 미리암이 다가온다. 그녀는 상처가 난 내 손에 연고를 발라준다. 우리는 나란히 앉아서 배급된 도시락을 먹는다. 녹색 눈동자에 보조개를 가진 그녀는 내게 자신의 아기 사진을 보여준다. 복숭아 같은 아기의 얼굴.

"축제가 다음주인 거 알죠?"

미리암이 또박또박 경쾌한 목소리로 묻는다. 봉사자들과 키부츠닉들의 연합 축제를 말하는 것이다. 축제는 농장에서 가장 큰 연중행사였다.

"온종일 사람들이 가장행렬을 할 거예요. 남편과 나도 거기서 처음 만났어요."

미리암의 남편은 덴마크인인데 자원봉사자로 이곳에 왔다가 다시 고향으로 돌아가지 않았다고 한다. 미리암은 담배를 태우면서 손가락 두 개를 두 번 들어 보인다. 그녀와 남편 둘 다 스물두 살이라는 얘기다.

오후작업 시작을 알리는 음악소리가 울린다. 미리암은 밴드를 붙인 내 손을 가엾다는 듯 바라보고 자리에서 일어난다.

그날 저녁 TV룸에서 나는 왼손으로 주사위를 던진다. 에밀리

70

오는 자두 농장에서 일하고 얻은 한 상자의 자두를 내게 나눠준다. 나는 유심히 그것을 바라보다가 말한다.

"저 상자들도 전부 공장에서 만든 거야."

에밀리오는 상자와 나를 번갈아 보고 피식 웃는다. 그날 이후 키부츠 안에서 나무상자가 눈에 띌 때마다 나는 미리암을 떠올린다. 맑은 녹색 눈동자와 보조개, 들어올린 두 개의 손가락, 분홍색 복숭아 같은 아기의 얼굴.

리사는 양계장 냄새를 견디지 못한다. 괴로워하는 그녀와 업무를 바꾼 나는 대신 양계장에 나간다. 그 일은 내게 제법 익숙하다. 새벽에는 암탉들이 낳은 달걀을 주워담는 일을 하고, 그후에는 달걀을 달걀판에 담는 일을 한다. 갓 낳은 달걀은 껍질이 약해 쉽게 부서진다. 어떤 달걀은 아직 따끈따끈한 기운이 남아 있다. 나는 밴드를 감은 손가락 힘을 조절하지 못해 달걀을 몇 개 깨고 만다.

양계장 옆에는 커다란 새장이 하나 있다. 그 안에 노란색 깃털과 붉은 부리를 가진 세 마리의 앵무새가 있다. 서로 비슷하게 생긴 앵무새들은 고개를 갸웃거리다가 사람을 보면 곧잘 말소리를 흉내낸다.

"마히 에메트."

나는 그것이 히브리어인지 아닌지 알지 못한다. 내게는 그저 기이한 새의 울음소리처럼 들릴 뿐이다. 양계장 일을 마치고 돌아온 나는 오후 내내 부엌에 서서 달걀 컵케이크를 만든다.

"오늘, 네가 와줬으면 좋겠어."

아침 식당에서 에밀리오는 부드러운 목소리로 내게 말했다. 그의 생일을 맞아 숙소 앞에서 파티가 열릴 거라고 했다.

컵케이크를 만든 뒤 피곤에 겨워 잠이 들었던 나는 저녁 무렵 자리에서 일어난다. 어두운 방 안을 두리번거리다가, 순간 이유를 알 수 없는 불안에 휩싸인다. 나는 손톱으로 손바닥을 꾹 누르고 그것이 지나가기를 기다린다. 곧 하얀 모래사장처럼 가슴이 텅 비어버린다.

숙소 밖으로 나가자, 모닥불을 지펴놓은 공터에 모두가 모여 있는 게 보인다. 가운데 앉은 에밀리오가 내 팔을 잡아끈다. 그의 스페인 친구들은 양동이만한 냄비에 스파게티를 만들어왔다. 누군가 '소여물 같다'고 외치는 소리에 일동이 키득거린다. 다들 종이접시에 자기 몫만큼 조금씩 덜어 먹는데, 스파게티는 신기할 정도로 맛이 좋다. 나는 찌그러진 주먹 모양의 컵케이크를 내놓는다. 에밀리오는 환하게 웃는다. 그의 곱슬머리가 불빛에 너울거린다.

모인 사람은 스무 명가량이다. 그중에는 멀찌감치 떨어져 앉은 유진도 있다. 영국에서 새로 온 봉사자들을 만난 리사는 진지한 표정으로 오랫동안 이야기를 나눈다. 우리는 보드카를 음료수에 타서 마시다가, 나중에는 그냥 술병을 들고 마신다. 에밀리오와 친구들은 노래를 부른다. 나는 그가 발음하는 속삭임 같은 스페인어를 귀 기울여 듣는다.

감자칩과 땅콩 부스러기가 땅에 떨어지고, 모닥불의 기운이 조금 사그라졌을 때, 무리의 중간에서부터 작은 종이가 움직인다. 편지 모양으로 접힌 종이에 담긴 그것은 VERTIGO, 현기증이라고 불리는 환각제의 일종이다. 모닥불 가까이 앉아 있던 푸른 머리의 유진은 귀에 이어폰을 꽂고, 자리에서 일어난다.

나는 술병 안에 하얀 소용돌이를 만들며 가라앉는 가루를 바라본다. 차가운 기운이 몸속에 퍼진 뒤에도 그저 어지럽고, 감각이 예민해질 뿐 별다른 느낌이 없다.

나를 숙소 앞에 데려다주면서, 에밀리오는 계속 노래를 부른다. 그는 스페인으로 돌아가면 대학에서 건축학을 전공할 거라고 말한다. 나는 고개를 끄덕인다. 에밀리오는 나를 끌어당겨 키스를 하기 시작한다. 나는 그의 손이 몸을 스치는 것을 느끼고, 다만 그가 앞으로 계속 스페인어로만 말했으면 좋겠다고 생각한다.

방에 들어온 나는 무거워진 두 팔로 기어오르듯 침대에 오른다. 점차 온몸의 신경이 하나씩 살아나는 기분이다. 환각제를 달고 사는 네덜란드 아이들은 잠을 잘 자지 않는다고 들었던 말이 떠오른다. 바깥에서는 땅을 울리며 차르륵 차르륵, 스프링클러 돌아가는 소리가 들린다. 감각이 바늘 끝처럼 뾰족해진 것을 느낀다.

그때, 자신의 마음이 다했다고 그가 말했을 때 나의 표정이 어땠는지 나는 늘 그것이 궁금하다. 추억이 나쁜 것은 그것이 나를 비춰주지 못한다는 데 있다. 나는 그저 상상해볼 뿐이다.

나는 아마 외국어를 들은 사람처럼 그를 바라보았을 것이다.

그후로 계속, 그가 내 전화를 받지 않고 마치 잡상인을 대하듯 쇠줄로 걸어놓은 문 사이로 돌아가, 라고 낮게 뇌까렸을 때, 그의 옆에 서 있던 여자에 대해 묻는 나를 향해 웃으며 그건 문제의 핵심이 아니라고 했을 때(그때 그 핵심이라는 말), 붙잡은 내 손아귀를 풀어내던 무게와 힘, 눈이 내리던 날 그의 방을 바라보고 서 있던 그 골목에서 나와 함께 얼어갔던 하얀 자전거.

나는 리사의 손길에 눈을 뜬다. 온몸이 줄에 묶인 것처럼 뻣뻣하다. 새벽 다섯시, 일을 하러 가야 할 시각이다. 식당에 들어서자 지난밤 함께 쓰러졌던 애들이 모두 멀쩡한 얼굴로 웃으며 손을 흔든다. 나는 따뜻한 우유에 빵을 적셔 먹는다. 목구멍까지 따끔거리는 느낌이다.

오늘 나는 세탁소에서 일한다. 키부츠 제일 중앙에 위치한 세탁소는 빨래뿐만 아니라 수선까지 맡고 있기 때문에 오가는 사람도, 잔업도 많다. 건물 앞에 노란색 트럭이 서 있는 것이 눈에 띈다. 시인 미카엘의 배달차이다. 미카엘은 농장에서 태어나 한 번도 다른 곳에서 살아본 적이 없는 오십 세의 키부츠닉이었다. 독신인 그는 일주일에 사흘 세탁소에서 일을 하고, 나머지 시간에는 시를 썼다.

세탁소 안에 들어서자 롤러가 돌아가는 소리가 드르륵드르륵, 울린다. 옷감이 밀려가는 컨베이어벨트 앞에 선 유진이 나를 돌아본다.

74

"안녕."

이번에는 그가 먼저 내게 인사를 한다. 나는 그의 파란 머리카락 속의 눈동자를 처음으로 바라본다. 그 눈동자는 나와 닮은 색깔이다.

미카엘이 반갑게 내 이름을 부르며 손을 흔든다. 그는 종이에 적힌 리스트를 체크하고 있다. 축제를 앞둔 주라서 손봐야 할 가장행렬 의상이 산더미처럼 밀려 있다고 한다.

일의 순서를 아는 내가 먼저 유진을 데리고 세탁실로 간다. 그곳에는 탱크만한 크기의 세탁기가 여러 대 있다. 유진은 교무실에 불려온 학생처럼 큰 키로 구부정하게 서서 주위를 둘러본다. 세탁기 안에 옷을 밀어넣다가, 나는 그에게 손짓해서 말한다.

"이거 자세히 보면 로봇 같다?"

"응?"

"여기, 세제 넣는 곳이 눈 같고, 빨래 넣는 데가 입 같아 보이잖아."

그때 요란한 소리를 내며 세탁기가 멈추고, 로봇의 입에서 빨랫감들이 우수수 쏟아진다. 갖가지 색깔의 구겨진 빨래가 멈추지 않고 쏟아져내린다. 건조까지 마친 세탁물들은 따뜻하고, 어떤 것은 김이 나기도 한다. 그것들은 우리의 머리 위로 떨어진다. 나는 곁눈질로 그가 웃는 것을 바라본다.

롤러로 다림질을 마친 세탁물들은 주인의 이름을 단 바구니에 담겨 나온다. 나는 유진과 마주 앉아서 침대시트와 속옷, 티셔츠를 갠다. 흘긋 보아도 그의 손이 무척 크고 긴 것을 알 수 있다. 나는 그가 한국에서 아홉 살 때까지밖에 살지 못했고, 이후로는 죽 독일에서 홀로 학교를 다녔다는 이야기를 듣는다.

"악기를 한 거지?"

그는 나를 빤히 바라본다.

"아버지가 시립 오케스트라 단원이셨어."

나는 꿀벌 의상의 주름을 펴면서 말한다.

"악기 하는 사람들, 몸에 지니고 있지 않아도 악기가 손에 붙어 있는 게 보이거든."

그는 대답 없이 배트맨의 망토를 반듯하게 접는다.

미카엘은 그물망에 담긴 세탁물을 트럭에 싣고 배달지로 출발한다. 리스트를 들고 가는 그의 뒷모습이 꼭 산타클로스 같다. 일이 끝나자 유진은 인사도 없이 세탁소를 나선다. 나는 그가 돌아서자마자 주머니에서 이어폰을 꺼내 귀에 꽂는 것을 본다.

숙소에서 샤워를 하고 나온 나는 라면을 끓여 먹는다. 지난달에 언니가 보내준 것 중에 마지막으로 남은 것이다. 맵고 뜨거운 국물 때문에 입술이 새빨갛게 달아오른다. 맨발로 벤치 위에 앉자, 폭포수처럼 햇빛이 떨어진다. 주위는 백야의 한밤 같다. 고요히 불어오는 바람결에 오렌지 향기가 난다. 시간이 내 곁에 잔잔히, 소리없이 머무는 것을 느낄 수 있다.

유진과 나는 다음날에도 세탁소에서 함께 일한다. 단지 이틀

76

을 보았을 뿐이지만, 나는 그가 지루할 만큼 성실한 유형이라는 것을 알아차린다. 그는 꼭 필요한 말 외에는 하지 않고, 가끔 습관처럼 왼손을 돌리며 생각에 잠긴다.

점심식사 후에 미카엘은 롤러 앞에 서서 우리에게 새로 쓴 시를 들려준다. 히브리어로 한 번, 영어로 한 번. 그 시는 롤러 돌아가는 소리에 맞춰 부르는 노래처럼 들린다.

일을 마치고 세탁소를 나서면서, 나는 유리창에 붙은 공고문을 본다. '축제 의상을 대여해드립니다.' 내 옆에 다가온 유진이 공고문을 보면서 묻는다.

"생선 좋아하니?"

나는 무심히 고개를 끄덕인다. 그는 자기를 따라오라고 말하더니 성큼성큼 앞장서 걷는다. 우리는 키부츠닉의 숙소가 모여 있는 길로 향한다. 에밀리오와 함께 시내에 나가기로 했던 약속이 뒤늦게 떠오른다.

작은 통나무집 앞에 다다랐을 때, 유진은 문을 열고 나를 뒤돌아본다. 나는 그 집 안의 일인용 침대와 낡은 책상, 의자, 그리고 한구석에 놓인 지팡이를 둘러본다.

"잠깐만 기다려줘."

그는 창문을 열고, 라디오를 켠다. 나는 그가 카펫을 털고 욕실을 청소하는 것을 바라본다. 그는 꼼꼼히 먼지를 닦아내고, 물건을 제자리에 놓는다. 그 집 한쪽 벽면을 가득 채운 클래식 레코드판이 보인다.

"집주인이 의사 할아버지야. 키부츠 밖의 병원에서 일하고 밤에 돌아오는데, 청소만 해주면 자기가 없는 시간에 마음대로 머물러도 된다고 했어."

유진이 냉장고에서 생선을 꺼내며 말한다. 나는 그를 도우려고 나섰다가 그의 저지에 다시 앉는다.

"한국에서, 부모님이 생선가게를 하셔."

그의 손놀림은 주춤거림 없이 날렵하다. 그는 순식간에 생선 손질을 마치고 프라이팬을 꺼내 지글거리며 굽기 시작한다. 레몬즙을 짜넣고, 두어 번 생선을 뒤집은 그는 흰 살을 떠내 접시에 담는다.

그와 마주 앉은 나는 연신 물을 마신다. 유진은 내 존재를 잊은 사람처럼 열심히 생선을 먹다가 문득 생각났다는 듯, 여기에 오기 전에는 뭘 했니, 라고 묻는다. 여행을 했어, 라고 내가 대답한다. 그는 그 말의 의미를 되새기는 사람처럼 천천히 고개를 끄덕인다.

그는 설거지를 다 마친 후에 손을 닦고, 깊이 숨을 내쉰 후 음반이 쌓인 벽 쪽으로 걸어간다. '샤프란'이라고 씌어진 재킷에서 판을 꺼낸 그는 레코드를 작동시킨다. 첼로 선율이 통나무집 안을 가득 메운다.

숙소로 돌아오는 길에 우리는 키부츠닉 공동묘지 앞을 지나간다. 원 모양으로 둥글게 세운 비석들 앞에는 갖은 들꽃이 올려져 있다.

78

"유령들이 모여 회의라도 하는 것 같네."

내 말에 그는 입술 끝을 살짝 들어올린다. 잠시 침묵이 흐른다. 하늘이 어둑어둑해져 어느새 가로등에 불빛이 들어온 것이 보인다. 길가에 점박이 소 두어 마리가 어슬렁거리면서 풀을 뜯고 있다. 그 목에 걸린 종소리가 물 흐르는 소리처럼 들린다.

"터널 속을 걷는 거야."

문득, 혼잣말을 하듯 그가 말한다.

"나는 어려서부터 줄곧, 한 방향으로만 나 있는 터널 속을 걷고 있어. 그 길에서는 아무것도 볼 수 없어. 희미한 빛과, 그 끝에서 들리는 음악만 있을 뿐이지."

그의 푸른 머리카락이 바람에 날려, 그 안에 거뭇거뭇한 색이 드러난다. 나는 그 구멍 같은 음영을 바라본다.

"언젠가 나도 끝에 가 닿을 수 있다는 희망을 품고 걷는 거야. 다른 사람들에게 주어지는 보통의 즐거움, 보통의 안식, 보통의 삶을 포기하고서."

잠시 말을 멈춘 그는 울타리 위에 올린 자신의 손을 내려다본다.

"그런데 어느 날 깨닫게 돼. 나는 절대로 그 빛에 가 닿을 수 없다는 걸. 그것은 내 노력이나 의지와 상관없이 처음부터 결정되는 거야. 결국 나는…… 그 터널의 어둠 속 어디쯤에서 끝나고 말 거야."

그는 담담하게 말한다.

"그렇다면 나는 이제라도 그 터널에서 돌아나와야 하는 걸까."

아이처럼, 그는 내게 묻는다.

숙소에 다다랐을 때, 에밀리오와 리사는 벤치에 나와 있다. 가까이 가보니 둘은 말다툼을 하고 있다. 리사와 몇 번 데이트를 했던 에밀리오의 친구가 그날 오후 말없이 고국으로 돌아가버린 것이다. 리사는 에밀리오가 친구에 대해 변명하는 것을 들으려고 하지 않는다.

"그 친구가 꼭 너한테 모든 걸 이야기해야 되는 건 아니잖아?"

리사는 아무 대답 없이 고개를 가로젓고, 숙소로 들어간다. 에밀리오는 힘없이 어깨를 으쓱해 보인다.

"그 돼지가 어제 나한테 키스를 했어."

그날 밤 리사는 안대를 쓰고 누워서 말한다. 나는 아무 말도 하지 않는다. 그녀는 천장을 향해 묻는다.

"우리, 사해에 갈래?"

나는 고개를 끄덕인다.

자원봉사자들은 한 달에 한 번 휴가와 용돈을 받는다. 리사와 나는 그것을 함께 저축해두었다. 리사는 지도를 펼쳐놓고 표를 그려가며 여행 계획을 세운다. 떠나기 전날 에밀리오와 유진이 합류한다.


"저 차야!"

리사가 앞에서 비명처럼 소리를 지른다. 에밀리오가 쏜살같이

80

뛰어가서 막 떠나려는 버스를 붙잡는다. 기사가 차를 세우자 리사와 나, 유진이 차례로 버스에 오른다. 우리는 버스의 맨 뒷좌석에 나란히 앉는다.

커다란 좌판을 멘 장사꾼이 버스의 창문 사이로 손을 내민다. 유진이 돈을 건네고 받은 과자를 우리에게 나눠준다. 리사는 고개를 젓는다. 나는 꿀에 저민 끈적끈적한 아몬드를 입에 넣으며 바깥을 바라본다. 창밖은 푸른 기운이 전혀 없는 모래언덕이다. 간간이 폐허가 된 집터가 보인다. 총을 멘 앳된 얼굴의 군인들이 모래바람 사이로 길을 걸어다니고 있다. 리사는 눈을 떼지 않고 그 풍경을 바라본다. 그곳이 예전에 팔레스타인 난민촌이었다는 걸 우리는 모두 알고 있다.

에어컨이 고장난 버스 안은 찜통 같다. 나는 땀을 흘리며 졸다 깨기를 반복한다. 버스가 휴게소에 멈췄을 때 리사는 운전기사에게 가서 손짓을 섞어가며 긴 항의를 한다. 그녀는 잠시 후 울긋불긋해진 얼굴로 우리에게 돌아온다.

"에어컨이 작동하지 않는 것에 대해 보상해야 한다고 했어."

그녀는 한쪽이 우그러진 코카콜라 캔을 내민다.

"그랬더니 이걸 주더라."

에밀리오는 웃음을 감추려고 발작적인 기침소리를 낸다.

버스에서 내린 우리는 성경에 나온다는 한 동굴에 들른다. 서늘한 기운이 드는 동굴 안에는 이렇다 할 표식도, 관광객도 없다.

"잘못 찾아온 거 아니야? 사람이 이렇게 없을 리 없는데."

습기 때문에 에밀리오의 선글라스에 물방울이 고인다. 동굴 벽을 따라 종유석이 커튼처럼 드리워진 것이 보인다. 고개를 갸웃거리며 앞장서 가던 리사는 발을 삐끗한다. 유진이 재빨리 그녀를 붙잡는다. 우리는 그녀의 발목이 빵처럼 부풀어오르는 것을 망연히 내려다본다.

리사의 고집으로 우리는 키부츠에 돌아가는 대신 약국에 들러 그녀의 발목을 붕대로 친친 감는다. 유진은 옆에서 계속 리사를 부축한다. 택시기사는 영어를 알아듣지 못한다. 그는 우리를 향해 무슨 말인지 알아듣지 못할 소리를 멈추지 않고 지껄여댄다. 리사를 가운데 두고 나와 떨어져 앉은 에밀리오는 중간중간 뭔가 답답한 듯 나를 바라본다.

사해에 도착했을 때는 이미 해가 지고도 한참이 지난 뒤다. 검은빛이 도는 사해의 젖은 모래사장에 회색 구름이 비친다. 리사는 군청색의 바다를 홀린 듯 바라본다. 밤중인데도 물 위에 앉아 둥둥 떠다니는 사람들이 보인다. 그녀가 주춤주춤 바다로 들어가자, 옆에 선 유진도 함께 물속으로 들어간다.

에밀리오와 나는 함께 맨발로 물가를 걷는다. 부리가 긴 바닷새들이 우리 주위를 날아다닌다. 에밀리오는 나와 나란히 앉아 바다를 바라본다. 그는 내가 얼마나 아름다운지, 그리고 나의 무관심 때문에 자신이 얼마나 외로운지에 대해 말한다. 나는 그의 말이 과장되었다고 생각하지만, 그 불필요한 수고에 대해서 고마운 마음이 든다. 그는 나를 껴안고, 내 어깨를 누른다. 우리는

82

한 치의 틈도 없이 달라붙어서 모래 위에 눕는다. 따뜻한 그의 입김이 느껴진다. 나는 그의 어깨 너머로 한쪽부터 검게 변하는 하늘을 바라본다. 끝의 시작은 어디일까.

경계는 그것을 지나온 뒤에야 알 수 있다. 돌아보면 그것은 어느 저녁의 일이었다. 그날, 저녁거리를 사온 나를 뜻밖이라는 듯 맞이한 그는 말없이 소파에 가서 앉았다. 그는 내가 상을 차리는 동안 텔레비전만 바라보고 있었다. 입고 있던 옷 그대로 식탁에 앉아서 밥을 먹은 그는 이내 자리에서 일어났다. 몸에 열이 있다고 했다. 나는 그의 이마에 손을 얹고, 약을 찾아주었다. 그가 방으로 들어간 뒤, 나는 한참 동안 식탁 앞에 서 있었다. 거실은 물속처럼 고요했다. 신발을 꿰어신은 나는 그 집의 불을 전부 끄고 바깥으로 나왔다. 고층 빌딩의 창문들이 하얗게 빛나는 것이 보였다. 빛의 번짐 때문에 어떤 것이 그의 창인지 알아보기 어려웠다. 돌이켜보면 더할 수 없이 선명한 것이, 그때는 보이지 않았다.

우리는 유진이 사온 피자를 바위 위에서 먹는다. 젖은 옷 위에 타월을 두른 리사가 턱을 덜덜 떨며 바닷물이 미끈거린다고 말한다. 말없이 피자를 먹던 에밀리오가 먼저 일어난다. 그는 나와 관계를 가지려고 했지만 잘 되지 않았다. 나는 괜찮다, 라고 말했는데 그 말이 도리어 그에게 상처를 준 것 같았다.

리사는 다시 한번 바다에 들어가고, 나는 혼자 모래사장을 걷는다. 한 바퀴를 다 걷고 돌아왔을 때 유진이 눈을 감고 서 있는 게 보인다.

"뭐 하니?"

그는 천천히 눈을 뜬다.

"베토벤에게는 언제나 음악이 들렸대. 별에게서도, 바람에게 서도, 바다에게서도."

그는 지친 듯 부드러운 목소리로 말한다.

"내게는 아무것도 들리지 않아."

파도에 실려온 엉킨 해초들이 머리타래처럼 발에 밟힌다.

사람들이 모두 떠난 뒤에도 리사는 홀로 남아서 바다 위를 둥둥 떠다닌다. 그녀의 하얀 살결이 멀리서는 바다의 거품처럼 보인다. 가진 돈을 다 써버린 우리는 하루를 묵는 대신 키부츠로 돌아가기로 한다. 버스가 다 끊겼다고 말하자, 에밀리오는 가방 에서 손전등을 꺼낸다.

"그걸로 뭘 하려고?"

"차를 잡아야지."

에밀리오는 캄캄한 도로변에 서서 손전등을 깜빡인다. 하지만 차들은 매정하게 우리 곁을 쌩쌩 지나갈 뿐이다. 삼십 분간 한 대의 차도 세우지 못한 에밀리오는 갑자기 화가 난 사람처럼 내 게 손전등을 넘기더니, 물기를 털듯 머리와 어깨를 흔들어댄다. 리사가 가방을 집어던지고, 킥킥대며 그를 따라 몸을 흔든다. 유 진과 나, 우리 넷은 웃는다. 어둠 속에서 그들의 얼굴은 웃는 것

84

인지 우는 것인지 잘 분간되지 않는다. 그때 커다란 차가 앞에서 멈추고 경적을 울린다.

우리는 가방을 주워들고 달려가서 차에 몸을 싣는다.

"감사합니다!"

운전석에 앉은 쇼트커트의 은발 할머니가 뒤를 돌아보며 빙긋 웃는다.

"어디까지 태워다줄까요."

할머니의 목소리는 억양이나 말의 높낮이가 왠지 어눌하다. 에밀리오가 속사포처럼 우리의 사정과 목적지를 말한다. 할머니는 그의 입을 뚫어져라 바라보더니 자기 귀를 가리킨다.

"천천히, 다시 한번만 말해줘요."

우리는 그녀가 청각장애인이라는 걸 깨닫는다.

자동차는 전조등이 비추는 불빛을 따라 아무 변화도 없는 모래언덕길을 한없이 달려간다. 할머니와 대화를 할 수도 없고, 그렇다고 우리끼리 떠드는 것도 예의가 아닌 듯해 모두가 침묵을 지킨다. 밤의 고속도로는 아무 형체도 없는 어둠의 덩어리 같다.

"음악을 틀어도 될까."

고요함을 깨고, 할머니가 우리에게 묻는다.

"잠이 와서."

우리는 어리둥절한 표정으로 고개를 끄덕인다.

"듣지 못하는 거 아니었어?"

리사가 귓속말로 내게 묻는다. 그때 갑자기, 유리창이 흔들릴 만큼 커다란 헤비메탈이 스피커에서 터져나온다. 벼락이 내리치는 듯한 소리에 반쯤 졸음에 잠겨 있던 유진과 에밀리오가 벌떡 몸을 일으킨다.

할머니는 우리를 향해서 뭐라고 말하는데, 음악 때문에 들리지 않는다. 그녀는 팔과 다리를 차체에 바짝 대고 있다. 진동으로 음악을 느끼는 것이다. 드럼이 둥둥 울릴 때마다 자동차가 땅에서 들리는 것 같다. 전자기타가 현란하게 멜로디를 연주하기 시작하자, 할머니는 핸들을 잡고 살짝살짝 머리를 흔든다. 가만히 앉아 있던 우리에게도 차차 소리의 볼륨이 무감각해지고, 몸을 흔드는 파동만이 남는다. 나는 음악의 진동이 뱃속으로 스미는 것을 느낀다. 에밀리오가 소리를 지르며 두 팔을 치켜든다. 한밤의 어둠과 고요 속에서 음악으로 가득 찬 자동차가 흔들리며 달려간다. 할머니는 미소를 지으면서 우리를 돌아본다. 더 필요한 게 있니, 라고 묻듯이.

키부츠 입구에 선 우리는 가방을 내려놓고 낯설게 주위를 둘러본다. 오색 깃발이 휘날리는 입구에서부터 형형색색의 옷을 입은 사람들이 떼지어 있는 게 보인다. 축제의 가장행렬이 시작된 것이다.

"어쩌지?"

리사가 울상을 짓는다. 파티장 외에 모든 건물의 문이 잠겨서 달리 몸을 피할 도리가 없다. 우리는 아수라 백작과 원더우먼,

86

오리떼에 뒤섞여 이리저리 몸을 부딪히며 흩어졌다 모이기를 반복한다. 식물과 과일로 변장을 한 자원봉사자들은 타이츠를 입은 다리로 종종거리며 걸어다닌다.

"너희는 왜 변장을 하지 않았지?"

대천사의 옷을 입은 시인 미카엘이 큰 목소리로 묻는다.

"우리도 변장한 거예요."

에밀리오의 말을 유진이 받아서 대답한다.

"우리 자신으로요."

파티장 중앙의 은쟁반에는 봉사자들이 만든 과자가 수북이 담겨 있다. 크기도 모양도 가지각색인데, 반죽만은 한 사람이 했는지 모두 돌멩이처럼 딱딱하고 고소한 맛이 난다. 잠시 후 중앙의 스피커가 웅웅거리더니 곧이어 포크송이 흘러나온다. 주위의 남녀가 하나둘 짝을 지어 춤을 춘다. 파트너를 구하지 못한 에밀리오와 유진은 엉거주춤 둘이 손을 잡는다. 하루가 다 지나도록, 사람들은 갖가지 모양의 과자를 먹으며 쉼없이 몸을 흔든다.

여행의 피로로 지친 리사와 나는 이내 빨갛게 달아오른 얼굴로 구석에 가 앉는다. 왁자지껄한 사람들을 구경하다가, 리사가 조용한 목소리로 내게 말한다.

"옛날에…… 아버지가 목말을 태워줬던 적이 있거든? 진짜 신기했어. 떨어질 것 같은데 절대 안 떨어져. 하늘에 둥둥 떠다니는 것처럼. 아버지가 나를 붙잡고 있으니까."

리사는 벽에 머리를 기대고 눈을 감는다.

"바다에서, 꼭 그때로 돌아간 것 같았어."

천장에 매달린 보름달 모양의 가로등에 불빛이 깜빡거린다.

해가 지자, 모든 건물의 문이 열린다. 나는 숙소로 향하는 길에서 방향을 잃어버린다. 한참 동안 같은 곳을 뱅뱅 돌던 나는 달빛이 내린 길 위에서 거북이와 대천사가 손을 붙잡고 앉아 있는 것을 본다. 나는 내가 이틀간 잠을 자지 못했다는 것을 떠올린다. 눈앞의 모든 게 멀게 느껴진다. 귓속이 웅웅대서, 음악이 아직도 몸속에 남아 있는 것 같다. 하품과 함께 눈앞이 희미해진다.

그곳에서 나는 제일 오래된 시간을 만난다. 더께 때문에 빛이 바랜 그 장면은 소리만이 선명하다. 물이 흐르는 소리가 들린다. 그때 그와 나는 일행과 함께 다리 밑의 강둑을 걷고 있었다. 쌀쌀한 초가을 저녁이었고, 밥을 먹은 우리는 손에 커피잔을 하나씩 들고 있었다. 강 반대편에서 바람이 불어 목덜미를 간질였다. 함께 걷던 일행들이 잡담을 하면서 와르르 웃었다. 소란한 와중에 문득, 그가 내 이름을 불렀다. 나는 그를 바라보았다. 물살이 철썩이는 소리가 들렸고, 나 외에는 아무도 그 음성을 듣지 못했다. 그가 내 이름을 부른 것은 그때가 처음이었다.

지금 여기에서 나는 그를 똑바로 바라볼 수 있다. 그의 눈빛은 나를 향해 있고, 불안에 떨고 있다. 그는 내게 묻는다. 그의 눈동자에 가득한 나, 지금의 나를 모르는 나, 아직 아무 경계도 없는 나. 나는 그곳에서 이곳을 바라본다. 나는 미소짓는다. 그를 향해, 그리고 나를 향해. 부드럽고 환하게.

숙소에 도착하자 문에 기대고 있던 유진이 몸을 일으킨다.

"네가 없어졌다고 해서, 한참 찾았어."

나는 몽롱한 상태로 유진에게 다가가서 그의 손을 들어올린다. 나는 그의 손바닥을 한참 동안 들여다본다. 단단하게 굳은살이 박인 그의 왼손. 나는 이어서 내 손바닥을 그에게 보여준다.

우리는 서로의 빈손을 확인한다. 그는 내 손바닥 위에서 살며시 손가락을 움직인다.

나는 창문에 매달려 유리를 닦는다. 하얀색 꽃가루가 날리는 봄이다. 온 힘을 다해 닦아도 유리창은 곧 꽃가루로 뒤덮이고 만다. 그래도 나는 입김을 불어가며 유리창을 닦는다. 그것이 오늘 내 노동의 몫이기 때문이다.

식당 이층의 창문을 닦고 있을 때 멀리 키부츠 입구에서 커다란 가방을 멘 사람이 한 명 걸어오는 게 보인다.

"누가 새로 왔어!"

옆 창틀에 붙어 있던 에밀리오가 눈을 가늘게 뜨고 고개를 쭉 뺀다.

"일본 애야. 내기해도 좋아."

자그마한 체구의 일본 여자애는 리사 대신 내 룸메이트가 된다. 방에 들어온 여자애는 자기 몸집만한 가방에서 열한 권의 책을 꺼낸다. 낡은 열한 권의 책을 책꽂이에 나란히 꽂은 후 그애는 한숨을 내쉬고, 나를 보며 웃는다. 나는 그애에게 묻는다.

"보드게임 좋아하니?"

그애는 고개를 끄덕인다.

나는 일본 여자애에게 키부츠 생활에 대해 알려주고, 저녁에는 함께 주사위를 던진다.

리사는 지난주에 이곳을 떠났다. 갑작스러운 결정이었다. 팔레스타인 구역에 일손이 필요하다는 얘기를 들었다고 했다. 이제 용기가 생겼어. 가방끈을 팽팽하게 조이면서 리사는 말했다. 이걸 전향이라고 해야 하나? 우리는 우스갯소리를 했다. 리사는 어깨를 으쓱해 보이고는 성큼성큼 방을 나섰다.

리사가 떠나기 전날 밤에도 우리는 TV룸에서 게임을 했다. 그날 리사는 바나나 농장과 아보카도 농장을 모두 차지했고, 에밀리오와 나는 오렌지 농장을 반씩 나눠 가졌다. 마지막으로 유진이 소원의 오두막에 들어갔다.

"너는 갖고 싶은 농장을 아무거나 고를 수 있어."

우리는 무뚝뚝하게 유진을 일깨워주었다. 그의 말은 그때까지 출발지점에 머물러 있었다. 우리는 자신의 농장을 빼앗길까봐 숨을 죽이고 유진을 바라보았다.

"만약에 내가 농장을 가질 수 있다면……"

유진은 고개를 기울이고 말판 위의 농장들을 내려다보았다.

"그곳에서는 세상에서 제일 아름다운 첼로 소리가 들릴 거야. 아침이면 새들이, 저녁이면 물고기들이 그 소리를 듣고 모여들

90

거야. 모든 사람들이 물처럼 흐르는 음악을 들을 수 있을 거야. 사람들은 문득 눈물을 흘리고, 거기서도 음악이 흘러나오는 걸 깨닫게 될 거야. 그래서 더이상 슬퍼하는 걸 두려워하지 않게 될 거야."

유진은 나지막한 목소리로 말했다.

"밤이 깊도록 음악은 멈추지 않을 거야. 그리고 누구도 그곳을 떠나고 싶어하지 않을 거야."

# 마테의 맛

아르헨티나 산 마테 특유의 그윽한 향기가 차 안에 퍼졌다. 좋은 마테 찻잎에서는 바람, 태양, 흙의 향취를 느낄 수 있다. 감각이 활짝 열려서, 미처 느낀 적 없었던 시간, 장소에까지 가 닿는 것이다.

＊

그날 아침 그녀는 목걸이에 가슴을 긁혀 잠에서 깼다. 헝클어진 머리를 들자 어두운 방 한구석에 형광색 시침과 분침이 보였다. 일곱시 이십분. 자리에서 일어나는데 무릎이 휘청거렸다. 종아리에서 허벅지 근육까지 뻐근한 느낌이었다.

근래 그녀는 꿈속에서 맹렬하게 자전거를 타고 있었다. 미아리에서 개포동까지, 북한산에서 도봉산까지, 브레이크 한번 잡지 않고 페달을 밟았다. 누군가 요즘 뭐 하냐고 물으면 무심결에 '자전거를 탄다'고 대답할 정도였다. 지난밤에는 수풀이 가득한 한강변을 지나 구리 시내 한 바퀴를 다 돌았다. 서늘한 공기, 축축한 머리카락, 손바닥에 흥건한 땀. 기억이 생생할수록 온몸

마디마디가 아팠다.

　문을 열고 나가자 부엌에서 그녀의 아버지가 초리소를 튀기고 있었다. 스페인식 소시지 초리소는 두께가 굵고 통통해서 반질반질 윤이 났다. 식탁 위에는 밀가루 옷을 입힌 엠파나다가 쟁반 가득 담겨 있었다. 접시마다 김이 모락모락 올라왔다.

　"일어났니?"

　그녀를 본 아버지가 고개를 까딱했다.

　"엄마는요?"

　"마트에. 이번주 새벽 출근이잖니."

　낡은 오븐에서 낮게 웅웅대는 소리와 함께 붉은빛이 새어나왔다. 아버지는 말없이 빈 그릇들을 닦았다. 조리대 옆에 올리브 열매, 베이컨, 달걀, 치즈, 건포도가 줄줄이 늘어놓아져 있었다.

　아버지는 일 년에 하루, 아르헨티나 식으로 요리를 했다. 직접 구해온 최고급 재료들로 온종일 갖가지 음식을 만들어내는 것이었다. 그녀는 과일을 넣어 구운 엠파나다를 크게 한입 베어물었다. 오렌지 향기가 입 안 가득 퍼졌다.

*

　집 밖은 바람이 살얼음처럼 차가웠다. 머리카락을 제대로 말리지 않은 그녀는 몸을 덜덜 떨면서 버스에 올랐다. 눈썹을 고쳐 그리느라 시간을 지체해서 마음이 급했다. 옆사람의 이어폰

96

에서 희미하게 전자기타 소리가 새어나왔다. 끄덕끄덕 졸다 일어났을 때, 서리가 낀 차창 밖으로 스포츠센터가 보였다.

스물네 시간 운영되는 스포츠센터는 칠층 건물 전체가 전면유리로 되어 있었다. 건물 구석구석에서 스쿼시를 치고, 다이빙대에서 떨어지고, 재즈댄스를 추고 있는 사람들이 보였다. 그녀는 가방을 사물함에 넣고 사무실에서 교대 사인을 했다.

카운터에서 하는 일은 고객들의 회원카드를 확인하고 로커 열쇠를 내어주는 것이었다. 처음 일을 시작했을 때 그녀는 무엇보다 '근무시간보다 일찍 나오면 시설을 공짜로 이용할 수 있다'는 말에 끌렸다. 돈을 벌면서 운동도 할 수 있겠다고 생각했던 것이다. 육 개월이 지난 지금까지 아령 한번 만져보지 못할 줄은 몰랐다.

매일 새벽 두세시를 넘겨 잠자리에 드니 새벽운동은 처음부터 불가능한 것이었다. 그녀는 격일로 학교와 파트타임으로 일하는 학원을 오가고 있었다. 퇴근 후에는 학년별 시험지를 만들고, 평가서를 만들고, 대학원 숙제를 했다. 등을 대고 자리에 누우면 그제야 어긋난 온몸이 맞춰지는 것 같은 느낌이 들었다. 아침 출근에 늦지 않는 것만으로도 사투와 같았다.

벨벳 운동복을 입은 여자 두 명이 운동을 끝내고 나와 그녀에게 카드를 내밀었다. 희미하게 보디샴푸 향기가 났다. 그녀는 사뿐히 걷는 그들의 뒷모습을 바라보며 부기를 빼준다는 손바닥의 혈점을 볼펜 끝으로 꾹꾹 눌러댔다. 근래에는 아침마다 손이 부어 주먹을 쥐기도 힘들었다.

"뭔가 계획이 있긴 한 거야?"

온종일 정신없이 뛰어다니는 그녀를 보고 어머니는 혀를 찼다. 하지만 어쩔 수 없었다. 문제의 원인을 생각해보면 '잠시도 쉴 틈 없이 강의를 돌리는 원장의 탓'에서 '코앞으로 다가온 다음 학기 대학원 등록금'으로 연결되고, 그러면 화살표는 잠시 망설이다 원을 그리며 '강의가 많은 만큼 월급이 높은 학원'으로 돌아오고 말았다.

그녀가 교육대학원에 들어간 것은 작년의 일이었다. 대학을 졸업한 뒤 그녀가 선택할 수 있는 길은 그것밖에 없어 보였다. 누구나 한 가지씩 재능을 갖고 있는 거라면, 자신의 그것은 교사로서의 능력이라고 그녀는 생각해왔다. 스무 살 때부터 과외지도를 했으니 수업 경력도 적지 않았고, 아이들과 관계도 좋았다. 그녀는 특히 열등생들과 사이가 좋았는데, 그것이 무엇보다 교사로서의 자질을 증명하는 것이라고 여겼다.

교육대학원은 입시부터가 만만치 않았다. 멀쩡히 다니던 직장을 그만두고 온 사람들이 태반이었다. 갓 대학을 졸업한 학생들, 셋째까지 낳고 온 주부들, 트럭으로 세계여행을 하고 온 아저씨, 한복집을 한다는 할머니까지 각양각색이었다. 교사자격증이 유행인 것 같았다.

"선생만한 게 없지."

그래도 사회를 겪어보고 돌아온 사람들이 이렇게 말할 때는

98

왠지 합리적인 선택을 한 것 같은 기분이 들었다. '퇴근 후에는 그림이나 악기를 배우러 다니고, 방학에는 긴 여행을 가는 삶'을 생각하면 아르바이트도 한결 견디기 쉬워졌다. 대학원 등록금은 그 기회의 값이었다. 그녀는 산더미같이 쌓인 운동복을 차곡차곡 개어 손바닥으로 판판하게 두드렸다.

정오가 지나 그녀는 편의점에서 사온 김밥을 먹었다. 대학원 총무인 L언니로부터 문자메시지가 와 있었다. 저녁에 있을 종강모임에 대한 것이었다. '2학기 마지막 모임입니다. 모두 빠지지 마세요.' 그녀에게는 짧은 메시지가 하나 더 붙어 있었다. '준비 됐어?'

그녀는 오이를 씹지도 않고 삼키면서 '아니요'라고 찍어보냈다. 가방 안에 들어 있는 포장된 상자가 떠오르자 속이 울렁거렸다. 지난밤 그것을 고를 때도, 백화점을 어지러울 정도로 빙빙 돌았더랬다.

교육학 강의를 하는 J는 여느 젊은 유학파 강사들과 다르게 매사에 조심스럽고 신중한 타입이었다. 학생들과 잡담을 하는 일도 없고, 기분을 잘 드러내지도 않았다. 수업이 끝나면 벗어두었던 재킷을 걸치고 조용히 교실을 떠났다. 평소 그에 대해 '젊고 빈틈없는 강사'라는 인상밖에 갖고 있지 않던 그녀에게 낮은 목소리로 언질을 준 사람은 L언니였다. 자세히 보면 J의 눈길이 그녀에게 머물 때가 많다는 것이었다. 그녀는 바람 빠진 웃음소리를 내며 언니의 등을 밀었지만 같은 얘기가 몇 번 반복되자 신경이 쓰이지 않을 수 없었다.

그것은 전혀 근거가 없는 말은 아니었다. 실제로 J는 수강생 중에 유일하게 그녀의 이름만을 기억하고 있었고, 수업 내용에 관해 묻거나 지시할 때도 꼭 그녀에게 도움을 청하곤 했다. 휴대폰으로 전화를 걸어온 것도 여러 번이었다. 그녀는 허리를 꼿꼿이 세우고 앉아서 그를 관찰했다. 차츰 J의 수업시간을 기다리게 됐다.

그는 왼손잡이가 아니었지만 왼손으로 펜을 돌리는 버릇이 있었고, 입가에는 희미한 흉터가 있었다. 안경을 낀, 조금 긴 듯한 얼굴에 눈동자는 크레파스로 칠한 것처럼 새카맸다. 그는 늘 파란빛이 돌 만큼 하얀 와이셔츠를 입었다. 셔츠가 얼마나 하얀지 어느 땐 옷감의 빛이 허공에 번져 보이는 것 같았다. 그녀는 그 빛을 질리지 않고 똑바로, 오랫동안 바라보았다.

J는 주임교수의 전폭적인 신임을 받고 있었다. 두드러지는 이력에 강의 실력도 탁월했다. 얼마 전에 있던 학과 공개채용도 기실 그의 임용을 위한 것이라는 소문이었다. J가 서 있는 자리는 그녀의 반대 극 지점처럼 보였다. 그가 그녀의 이름을 외국어처럼 발음할 때면 그녀 스스로가 낯설고 새로운 존재처럼 느껴졌다.

그녀는 학기 내내 J의 본심을 알아보려 했지만, 그에게서 그 이상의 기색은 볼 수 없었다.

100

"그런 게 학자들의 스타일인가보지."

기회는 오늘뿐이라고, L언니가 말했다.

"종강 이후에는 만날 일이 없잖아. 어떻게든 오늘 기회를 잡아야 돼."

그녀는 J의 가늘고 얇은 입술을 떠올리며 미간을 좁혔다.

*

학교까지는 지하철로 삼십 분이 걸리는 거리였다. 그녀는 거울 앞에서 짝짝이로 그려진 듯한 자신의 눈썹을 살펴보았다. 물을 묻혀 조심스럽게 수정해보았지만 마음에 차지 않았다.

스포츠센터에서 나오는 길에 어머니로부터 전화가 왔다.

"오늘 집에 일찍 못 오겠지? 아사도가 정말 잘됐는데, 식기 전에 먹으면 좋을걸."

"아버지는 뭐 하세요?"

그녀가 무심하게 물었다.

"이제 막 스튜를 끓이신다."

그녀는 조그맣게 숨을 내쉬었다. 그 소리를 들은 어머니가 나지막하게 말했다.

"걱정하지 않아도 돼."

처음 아버지가 요리를 시작했을 때도 어머니는 그녀에게 말했다.

"별일 아니다. 아버지는 기억을 담아둘 데가 필요한 것뿐이야."

그때는 한국에 돌아온 직후라 모든 것이 엉망이었다. 채 열지도 않은 가방들이 여기저기 쌓여 있었고, 창문마다 두껍게 커튼을 내려 텅 빈 집 안이 어둡고 고요했다. 아버지가 불현듯 자리에서 일어나 장을 봐오자 그녀는 그가 다시 어디론가 떠날 준비를 하는 줄 알았다. 부엌은 서늘했다. 아버지는 아무 말 없이 음식을 튀기고, 볶고, 데치고, 끓였다. 그녀는 불안함에 어머니의 손을 꽉 잡았다.

접시를 죽 늘어놓고 요리를 먹은 뒤, 아버지는 중고 택시를 구하러 나갔다. 아버지는 신발을 신으면서 그녀에게 어머니를 도와 짐을 풀라고 말했다. 옷가지들이 끝도 없이 쏟아져나왔다. 텅 빈 가방은 곧 힘없이 구부러졌다. 그녀의 가족이 그 가방에 가진 전부를 밀어넣은 지 사 년 만의 일이었다.


서울올림픽이 열리기 한 해 전, 그녀의 아버지와 어머니는 스페인어 회화를 연습하면서 그 가방을 꾸렸다. 여덟 살의 그녀는 교단에 서서 작별인사를 했다. '아르헨티나'라고 몇 번씩 말해줬는데도 반 애들은 '쟤가 아마존으로 이민간대'라고 속닥거렸다.

그녀의 어머니는 임신 오 개월의 임부였다. 공항에서 그녀의 외삼촌이 팔뚝만한 호돌이인형 두 개를 선물했다.

"동생이 태어나면 엄마를 많이 도와드려야 한다."

102

어머니는 많이 울었다. 아버지가 어머니의 어깨를 감싸며 '우리는 지구 반대편으로 가는 거'라고 했다. 그녀는 무슨 말인지 이해할 수 없었다.

도쿄에서 한 번, 엘에이에서 다시 한번 비행기를 갈아탔다. 그녀는 스튜어디스가 가져다준 막대사탕을 천천히 빨아먹었다. 아버지는 어머니의 퉁퉁 부은 발을 무릎 위에 올리고 마사지를 했다.

"붉은 벽돌에, 발코니가 딸린 집을 지어줄게."

멀미를 하던 어머니는 발가락을 꼼지락거리면서 힘겹게 미소를 지었다.

"모든 게 달라질 거야."

그녀의 아버지는 늘 더 빛나는 것을 향해 손을 뻗는 사람이었다. 그만두는 것은 그의 오랜 장기였다. 자연히 어떤 직장이든 오래 머물지를 못했다. 열네번째 회사에서 나온 날, 그는 머리를 완전히 밀고 들어와서 술에 취해 색색거리며 말했다.

"나를 좀 살려줘."

그녀의 어머니는 남편의 허연 두피가 가여워서, 그가 가자는 곳이 어디인지 생각도 않고 고개를 끄덕였다.

아르헨티나의 공기는 어딘지 묵직한 데가 있었다. 이민자들은 대개 그들 가족처럼 젊은 부부에 어린 자식을 두고 있었다. 공원에서는 자주 친목 바비큐파티가 열렸다. 하늘이 맑아 어디서나 쉽게 지평선이 보였다. 동생이 태어나자 그녀의 아버지는 금으로 만든 작은 돼지를 주위의 한인들에게 선물했다.

그들은 처음부터 발코니가 딸린 붉은 벽돌집에서 살았다. 땅이 넓어 집값이 터무니없이 낮았던 것이다. 그녀의 어머니는 처녓적 경험을 살려 아버지와 의류도매업을 시작했다. 시간이 지남에 따라 가게는 자리를 잡아갔다.

주말에는 온 가족이 바다에 나가서 해수욕을 했다. 아버지는 팔꿈치를 뒤로 기대고 멀리서 파도가 부서지는 것을 바라보았다. 그녀는 어머니가 껍데기를 벗겨주는 구운 새우를 먹으며 아기인 동생의 손을 만져주었다. 동생은 그녀가 엄마인 줄 알고 맑은 소리를 내며 웃었다.

해변에는 그녀의 가족과 같은 한인들이 많았다. 한인회 사람들은 악바리처럼 일했다. 의류유통업계의 현금은 전부 한인들이 가져간다는 소문이 있을 정도였다. 그들은 구릿빛의 서양인들 사이에서 쭈뼛거리며 몸을 누이고 햇볕을 쪼였다. 달러 파동이 날 때까지 비현실적인 것 같은 호황이 계속됐다. 그때는 누구도 한국으로 돌아갈 생각 같은 건 하지 않았다. 그녀는 빨갛게 입술을 칠하고, 어머니가 보내주는 탱고 교습소에 다녔다. 아르헨티나 소녀들에게 그것은 한국의 피아노학원만큼 흔한 것이었다.

*

기계음이 계속해서 울렸다. 휴대폰 액정에 익숙한 번호가 반

104

짝거렸다. 그녀가 일하는 학원이었다. 원장은 파트타임 강사들에게 시도 때도 없이 전화를 걸었다. 용건은 '퇴직금으로 차린 이 학원이 나에겐 전부다, 좀더 관심을 기울여줬으면 좋겠다'로 시작해서 아이들의 수업태도와 쪽지시험 결과, 중간고사 대비 계획 같은 것들로 끝없이 이어지곤 했다. 지하철이 한강을 건널 때 그녀는 휴대폰의 전원을 꺼버렸다.

학교에 다다르자 정문에서 하나둘 빠져나오는 학생들이 보였다. 어둑어둑해지는 하늘에 가로등 불이 들어오고 있었다. 도서관 앞길에 은행나무 낙엽이 수북했다. 그녀는 학생식당을 지나 열람실로 걸어들어갔다.

A열 521번. 늘 앉는 자리에 L언니가 보였다. 앞머리를 핀으로 넘긴 L언니는 앞가슴을 책상에 기대고 앉아 있었다. 멍한 표정에, 어딘지 지쳐 보였다.

최소한의 생활비 때문에 일자리를 놓지 못하는 다른 사람들에 비해, L언니의 집은 전폭적으로 시험준비를 돕고 있었다. 동기들 모두 L언니를 부러워했다.

"하루 종일 책을 보고 있으니, 우리랑 비교가 되겠어?"

"부럽겠지. 삼십 년 내내, 매달 1일에 아버지한테 용돈을 받거든."

그 얘기를 할 때 L언니는 뭐가 웃긴지 그치지 않고 길게 웃었다.

그녀가 슬쩍 다가가 어깨를 짚자, L언니는 소스라치게 놀라며 뒤를 돌아보았다. 책상 위에 금색 띠지를 두른 재테크 관련 책이 보였다. L언니는 얼른 가방을 챙겨서 그녀와 함께 도서관 밖으로 나왔다.

도서관 밖에서 학생들은 구부정하게 앉아 담배를 피우거나 자판기 커피를 마시고 있었다. 가로등 불빛을 받은 그들의 검은 머리칼이 푸르게 보였다. L언니는 화장기 없는 얼굴을 마른 손바닥으로 슥슥 문지르더니 갑자기 생각난 듯 말했다.

"아까 공지 뜬 거 알아?"

"뭐요?"

"J 말이야, 이번 채용에서 떨어졌던데."

J의 이름이 나오자마자 파르르 떨리는 속내를 감추며 그녀는 무슨 말이에요, 하고 짐짓 한 박자 느리게 물었다. L언니는 그녀 쪽으로 고개를 숙이고 말했다.

"그 자리 말이야, 주임교수 후배라는 사람이 뽑혔대."

태권도복을 입은 한 떼의 학생들이 구령을 넣으며 그들의 오른쪽을 돌아 뛰어갔다. 언니의 목소리가 조금 더 커졌다.

"그렇게 부려먹으며 살갑게 굴더니, 뽑는 사람 속마음은 따로 있었던 거지."

그녀는 L언니의 말을 흘려들으며 걸음을 옮겼다. J의 밋밋하고 긴 얼굴이 떠올랐다가 사라졌다. 강의실이 있는 건물로 들어서자 냉기가 느껴져 그녀는 어깨를 움츠렸다.

106

교실 안은 듬성듬성 빈자리가 많았다. 종강이라 빠지는 이들이 많은가보다고 L언니가 한숨을 쉬었다.

"이러면 회비를 더 걷어야 되는데."

앞문이 열리고 J가 들어오자 그녀는 자세를 바로했다. 그는 평소대로 재킷을 벗어 앞 의자에 걸쳐두고 수업을 시작했다. 수업 내내 그녀는 고개를 들지 못했다. 왠지 눈을 마주치게 되면 마음속 균열이 드러날 것 같았다. 교재의 마지막 장이었고, 내용도 중요하달 게 없었지만 J는 천천히 강의를 진행했다. 학생 몇 명이 옆에서 턱을 괴고 졸기 시작했다. J의 목소리만으로는 아무 기색도 느낄 수 없었다.

J는 『현대교육사조』의 한 부분을 소리내어 읽었다. 현직교사인 대학원생 몇 명이 뒤늦게 문을 열고 들어왔다. 상습적으로 수업에 늦어서 그때마다 J에게 지적을 받는 무리였다. 그들이 바닥 긁는 소리를 내며 의자를 빼 자리에 앉는 동안 J는 멈추지 않고 책을 계속 읽었다. 그녀는 고개를 들어 그를 바라보았다. 책을 내려다보고 있는 J의 눈빛이 조각조각 흩어져 있는 것을 알 수 있었다.

*

수업이 끝난 후 사람들은 함께 종강모임 장소인 근처 중국요릿집으로 이동했다. 다른 교수들과 학생들은 이미 도착해 자리를 잡고 있었다. J가 들어서자, 옆자리 강사의 말을 듣고 있던 주임교수의 미소가 조금 흔들렸다. J는 무표정하게 맨 끝자리에 가서 앉았다.

총무인 L언니가 주임교수에게 한 학기 맺는 말을 청했다. 몇 마디 말이 길게 이어진 후 학생들이 박수를 쳤다. J는 조용히 탁 자 위의 물수건만 내려다보고 있었다.

식사가 끝나고 술잔이 돈 뒤에도 J는 평소처럼 먼저 자리를 뜨지 않았다. 주임교수는 현직교사들과 한쪽 테이블에 앉아 이 야기를 나누고 있었다. 가끔씩 그쪽에서 요란하게 웃는 소리가 들렸다.

시간이 지나 사람들이 하나둘 술에 취해가자 그녀는 눈에 띄 지 않게 조금씩 J의 옆자리로 다가갔다. 그는 누구와도 말을 섞 지 않고 테이블 위에서 펜을 밀었다 당겼다 하며 술을 마시고 있었다. 테이블에 올려놓은 왼쪽 팔꿈치 때문에 어깨뼈가 앙상 하게 튀어나와 보였다. 그녀는 헛기침을 했다. J는 알아채지 못 했다.

"저."

J가 고개를 돌려 그녀를 흘긋 바라보았다.

"이번 강의 때문에 책도 여러 권 찾아 읽고, 공부가 많이 되었 어요."

그녀가 어색하게 술잔을 내밀며 인사를 하자 J가 마주 고개를 숙였다.

108

"총무님이 수업시간에 매번 도움을 주신 덕분입니다."

그녀는 그를 바라보았다. 조금 취해 보이긴 했지만 잘못 알고 하는 소리는 아닌 것 같았다.

"저, 저는 총무가 아닌데요."

순간 그녀의 스커트에 맥주잔이 떨어졌다. 왼쪽에 앉아 있던 후배가 팔을 들어올리다가 탁자를 건드린 것이었다. 그녀의 아이보리색 스커트에 묽은 액체가 번지는 것을 보고 후배는 비명을 질렀다.

괜찮다고 하는데도 후배는 그녀를 이끌고 화장실로 갔다. 끌려가며 뒤를 돌아보니 J는 묵묵히 쓰러진 컵을 바로 세우고 있었다.

스커트의 얼룩은 물로 닦을수록 더욱 선명하게 스며들었다. 후배는 울상이 되었다.

"정말 괜찮다니까."

그녀는 후배의 손을 밀어냈다. 허벅지 안쪽의 스타킹까지 젖은 느낌이었다. 변기 뚜껑을 내리고 앉아 휴지로 물기를 닦아내고 있으려니, 피곤이 몰려왔다. 총무님이라니. J가 보였던 그간의 친절과 관심이 찬찬히 탈색, 건조되어 분쇄된 후 공중으로 흩어지는 것 같았다. 누군가 멀리서 그녀를 보고 웃는 소리가 들리는 듯했다.

대충 얼룩을 지우고 자리로 돌아왔을 때 J의 옆에는 다른 사람이 앉아 있었다. 과에서 노트 정리를 제일 잘하는 학군단 출신의 남자였다. 그는 올해의 출제경향에 대해서 열을 올려 이야기하고 있었다. 꽤나 자신만만한 어조였다. 신입생들이 그 앞에서 진중한 표정으로 눈을 반짝이며 경청하고 있었다.

그녀는 조용히 구석으로 가 앉았다. 남자의 목소리가 워낙 커서 그녀가 있는 곳까지 들려왔다. 남자는 영역별 출제빈도에 대해 표를 그려가며 설명하기 시작했다. 옆의 사람들도 고개를 빼고 남자의 손을 따라 눈을 흘금거렸다.

"선생님께서는 어떻게 생각하세요?"

그중에 누군가 J에게 물었다.

"……시험 말입니까?"

J의 음성은 평소보다 조금 낮게 들렸다.

"글쎄요……"

표를 그리던 남자가 J를 빤히 바라봤다. J는 피식 웃으며 중얼거리듯 말했다.

"나라면 시험 같은 건 치지 않을 것 같아요."

그는 천천히 고개를 기울였다.

"그건…… 나갈 문이 하나밖에 없는 빌딩 같거든요."

J의 목이 붉어진 것이 멀리서도 보였다. 한 여학생이 반박하듯 말했다.

"어쨌든 누군가는 나갈 수 있는 문이잖아요."

"저는 전망을 믿지 않는 게 아니에요."

J는 입술 끝을 올리며 웃었다.

110

"저 자신을 믿지 못할 뿐이죠."

사람들이 모두 그를 바라보았다. 옆에 있던 동료 강사가 그의 옆구리를 쿡 찔렀다. 분위기는 어딘지 무거워졌다. 얼마 후 불편한 표정의 주임교수가 자리에서 일어났다. 주임교수를 뒤따라 몇 명의 학생들이 허둥지둥 일어나고, 강사들도 빠져나갔다. J는 등을 구부린 채 말없이 앉아 있었다. 말간 표정 아래 검은 침전물이 가라앉고 있는 것처럼 보였다.

남은 사람들은 조용히 날씨나 스포츠에 대한 이야기를 하다가 열시가 넘자 주춤주춤 가방을 챙겼다. 몸을 일으키는 순간 J가 휘청, 하고 비틀거렸다. 그녀는 엉겁결에 쓰러지는 그의 몸을 부축했다. 그는 생각보다 무겁지 않았다.

바깥바람을 쐬고도, J는 정신을 차리지 못했다. 남학생들이 J의 옷을 전부 뒤져보았지만 휴대폰을 찾을 수 없었다. 모두가 난감해하고 있는데, L언니가 생경한 목소리로 불쑥 말했다.

"아, 얘가 집을 알아요! 왜 지난번 세미나 끝나고 같이 갔다고 하지 않았어?"

그녀는 L언니가 보내는 어색한 사인에 인상을 찌푸렸다. 손을 휘저으며 아니라고 고개를 젓는 중에, 귀찮다는 표정의 남학생 한 명이 택시를 잡았다. 그녀와 J는 한꺼번에 뒷좌석에 태워졌다.

"잘 모셔다드려."

차에서 내리려는 순간 그녀에게 머리를 기댄 J가 깊이 한숨을 내쉬었다. 그녀는 고개를 돌려 그를 바라보았다. 사람들은 이미 빠르게 흩어지고 있었다. 그녀는 어깨를 축 늘어뜨렸다.

그녀는 J를 학교 앞 모텔로 옮겼다. 모텔 주인이 그녀를 도와 그를 부축해주었다.

"이분만 여기 두고 저는 나갈 거예요."

그녀가 변명하듯 말했다. 주인은 아무 대꾸 없이 방을 나갔다.

그녀는 매트리스 위에 엎드린 J를 내려다보았다. 애초 계획 보다 강도가 세지긴 했지만 방향이 틀리지는 않았군. 그런 생 각이 들자 기운이 빠져 조금 웃고 싶은 기분까지 들었다. 그녀 는 탁자 위의 물을 한 컵 마시고 J 옆에 쪼그려앉았다. 그는 완 고하게 눈을 감고 있었다. 그녀는 찬찬히 그의 얼굴을 들여다 보았다.

창문도 없는 좁은 방 안에 도로변을 오가는 자동차 소리가 그 대로 전달됐다. J의 가슴팍이 천천히 오르락내리락했다. 순간, 그 방의 주황빛 조명 아래에서 그녀는 그 남자의 어떤 부분이 자기를 건드렸던 것인지 깨달았다. 가늘고 잘 엉키는 머리카락, 동그스름한 광대뼈, 속눈썹이 많은, 길고 작은 눈. 잠든 그는 예 전에 그녀가 사랑했던 누군가와 닮아 보였다.

112

\*

구름은 어디에서 오는 걸까?　　　　　하늘은 왜 파란색이야?

　누나, 우리는 왜 물속에서 못 살아?　나는 왜 만날 배가 고프지?

　나뭇잎은 다 어디로 사라져?　　　　누나, 바람이 불면 슬픈 거야?


그녀는 모텔방의 한쪽 벽에 기대 서 있었다. 반대쪽 벽에서 전자시계가 깜빡거렸다. 한밤중에 침대에 누운 남자 옆에서 뭘 하고 있는 건가 하는 생각이 들었다. 이상한 밤이었다. 자신도, 이 남자도, 아이의 목소리도.

도, 레, 미, 노래를 하듯 질문을 하는 동생이 있었다. 세상을 감탄하기에 그애에게는 온종일도 모자랐다. 도매상을 하시는 부모님 때문에 동생을 돌보는 것은 늘 그녀의 몫이었다. 그애가 말을 배울 때쯤 그녀는 열한 살이 되었다. 어느 날 그녀는 집에 놀러 온 어머니 친구의 주머니를 뒤져 십 달러를 꺼냈다. 생애 첫 도둑질이었다. 그녀는 슈퍼마켓에서 진저리가 날 만큼 단 초코바를 사먹고 집으로 돌아왔다.

어머니는 그녀의 옷에서 남은 돈을 꺼내 확인한 후 그녀를 집에서 내쫓았다. 그녀는 문 밖에서 한참 동안 울었다. 모든 게 다 싫었다. 그 나라도, 오후의 시뻘건 노을도, 아버지도, 어머니도, 동생도. 그때 축축한 그녀의 뺨 위로 무언가 자그마한 것이 와닿았다. 동생의 손바닥이었다. 저리 가. 아이의 손을 뿌리치고 일어나서 공원 쪽으로 걸어가자 그애는 또 그녀를 뒤쫓아왔다. 저리 가라니까. 그녀는 호숫가에 앉았다. 금세 어둠이 내려왔다.

아버지와 어머니가 그들을 찾아 나왔을 때, 그녀는 동생을 업고 서 있었다. 잠든 그애가 흘린 침이 등을 적셨지만 그래도 온기가 따뜻했다.

대통령이 바뀌고 달러 파동이 난 뒤 한인회 사람들은 자기들끼리 은행을 세웠다. 여기저기서 가게들이 문을 닫았지만 그녀의 아버지는 위태롭게나마 사업을 이어나가고 있었다. 심각한 표정의 이민자들은 아버지의 가게로 모이곤 했다. 그녀와 동생은 집에서 가게로 자주 심부름을 오갔다. 그날 그녀와 동생은 조각 케이크를 가게에 갖다주러 가고 있었다.

"나머지는 내가 먹을 거야."

동생은 신이 나서 중얼거렸다.

"그래."

가게 앞에 도착해서야 뭔가 두고 온 것이 생각난 그녀는 먼저 들어가 있으라고 동생의 등을 밀었다. 그애의 작은 등. 그애는 가게로 들어갔다. 가게 안에서 어머니와 아버지는 엎드린 채 손을 머리 위에 올리고 있었다. 총을 든 사람들은 아버지가 한인회 은행의 열쇠를 갖고 있다고 생각했다. 총소리가 났을 때 그녀는 길 건너편에서 걸어오는 중이었다.

병원에 누운 동생은 얼굴에 파랗게 멍이 들어 있었다. 하얀 천으로 싼 동생을 어머니가 품에 안았다. 그녀는 차갑게 오므린

114

동생의 손을 잡았다. 한국에 돌아오기 전 냉장고를 정리하다 보니 그때까지 동생의 케이크가 남아 있었다.


J는 꿈을 꾸는지 조금 거칠게 숨을 내쉬고 있었다. 그녀는 그를 흔들어 깨우려다가 그만두었다. 그것이 무엇이든 꿈에서라도 흘려보내면 좋겠지. 잠든 그는 더욱 가늘고 삐죽해 보였다. 못생긴 얼굴이지만 그 삐죽함이 신기해서 자꾸만 들여다보게 됐다.

휴대폰을 켜자 아버지에게서 걸려온 여러 통의 부재중 전화 메시지가 떴다. 그녀는 왠지 불안한 마음으로 아버지에게 전화를 걸었다.

"어디냐, 열한시가 넘어가는데."

"학교예요."

수화기 너머로 자동차 경적소리와 소음이 들렸다. 그가 일을 하러 나갔다는 걸 알 수 있었다.

"넌 학교를 너무 오래 다니는구나."

그녀는 조금 웃었다.

"잔치는 다 끝났어요?"

"그래. 너희 엄마랑 하나도 안 남기고 다 먹었다."

아버지는 왜 요리를 하세요. 그녀는 그걸 묻는 대신 입술을 잘근잘근 깨물었다.

"손님도 없고…… 그 근처인데."

어떤 기색을 읽은 것인지, 아버지는 평소 하지 않던 말을 했다.

"집에까지 태워다줄까? 지금 출발하면 이십 분쯤 걸릴 거다."

아버지는 약속장소를 정하고 전화를 끊었다.

J는 색색거리며 숨을 내쉬고 있었다. 꽉 조인 목이 답답해 보였다. 옆에 앉아 있던 그녀는 충동적으로 그의 와이셔츠 단추를 하나 풀어주었다. 그가 끙, 소리를 내며 옆으로 누웠다. 그 바람에 셔츠가 벌어져 안에 입은 내의가 들여다보였다.

그녀는 눈을 깜빡였다. 그 내의라는 것이 낡을 대로 낡아 잔뜩 보풀이 일어난데다 희미하게 땟국물이 낀 것처럼 보였던 것이다. 눈을 가늘게 뜨고 보아도 마찬가지였다. 그녀는 한동안 남자를 바라보다가 도로 와이셔츠 단추를 잠가주었다.

지난 저녁, 그녀가 고민 끝에 고른 선물은 넥타이핀 세트였다. 금색 포장지로 감싼 작은 상자가 불빛 아래 반짝거렸다. 무게를 재듯 그것을 들고 있던 그녀는 상자를 다시 가방에 넣었다. 그녀는 몸을 일으켜서 J의 가슴에 매달린 펜을 빼냈다. 탁자 위에 흰 메모지가 있었다. 펜을 쥔 그녀는 한참을 망설이다가 간단한 자초지종과 자신의 이름을 적었다. 여백이 많이 남아 종이를 두 번 접었다.

밖으로 나가기 전에 그녀는 방 안의 조명을 모두 껐다. 어둠 속에서 J는 안도하듯 긴 숨을 내쉬었다. 복도를 걸어나오는데 스커트가 바삭거렸다. 물기가 다 마른 것이었다. 입구를 쓸고 있던 모텔 주인은 허리를 펴고, 골목을 빠져나가는 그녀를 바라보았다.

116

그녀는 도서관 앞에서 아버지를 기다리고 있었다. 차가운 밤 공기가 폐부까지 들어왔다. 그녀는 까만 허공에 떠 있는 노란색 은행잎을 바라보았다. 좀더 고개를 들어보니 열람실의 창문들이 모두 환하게 밝혀져 있었다.

발가락이 꽁꽁 얼어버린 듯 딱딱하게 느껴졌다. 그녀는 자그맣게 몸을 떨었다. 가슴께의 목걸이가 같이 흔들렸다. 줄에 달린 하얗고 매끄러운 뼛조각이 어둠 속에서 희미하게 빛났다. 아르헨티나 사람들은 식구가 죽으면 그 뼈를 간직해둔다. 그러면 그 사람에 대한 기억을 영원히 잊지 않을 수 있다고 믿었다. 그녀는 그것을 만지작거렸다. 그 단단한 조각을 만지고 있으면 무엇도 무섭지 않은 기분이 들었다.

순간 정적을 가르며 전화벨이 울렸다. 학원 원장의 번호였다. 이미 자정이 다 된 시각이었다. 그녀는 전화를 받았다. 원장은 마른 목소리로 지난 수업에 결석했던 학생들의 보강시간과 월말 평가에 대한 의견을 물었다. 그녀는 그의 질문에 차분히 하나씩 대답해주었다. 성취도 시험과 전산시스템에 대한 의견도 냈다.

"알겠어요. 다른 의견은 없죠?"

원장이 물었다.

"학원에 나가지 않는 날에는 전화를 걸지 마세요."

아무렇지 않은 말투로 그녀가 말했다. 원장이 뭐라고요, 라고 되물었다.

"전화를 걸지 마시라고요. 이런 얘기는 모아뒀다가 제가 출근하는 날 해도 되잖아요. 강의에 대해서라면 그건 제 몫이지만, 원장님의 불안은 스스로가 해결해야 될 문제예요."

"김선생님……"

"제가 잘 알아요, 원장님. 불안에 대해서라면, 요즘 저는 밤에도 자전거 페달을 돌리거든요. 말하자면 저는 전문가라고요. 하지만 그건 해결책이 되지 않아요. 바닥에 발을 디딜 수 없다고 해서 한평생 잠도 못 자고 페달을 돌릴 수는 없잖아요."

그녀는 빠르게 말을 쏟아냈다. 원장과 그녀는 한동안 말없이 수화기를 들고 있었다. 먼저 전화를 끊은 사람은 원장이었다.

*

"네 엄마는 일곱시부터 졸더니 밥 먹자마자 드러누워 잔다."

아버지는 그녀가 조수석에 앉을 수 있게 자리를 치우면서 말했다.

"당분간 계속 새벽 출근을 해야 된다더라. 알람을 세 개나 맞춰놨어."

어머니는 마트에서 바코드 찍는 일을 십 년 이상 해오고 있었다. 사계절 내내, 비가 오면 우산을 쓰고, 얼음이 얼면 발뒤꿈치를 들고 비틀거리며 마트에 나갔다. 그녀는 그 일이 어머니를 지켜준다는 걸 잘 알고 있었다. 어머니는 그런 식으로 삶을 믿

118

는 사람이었다.

차 안에 마테 차 향기가 은은하게 맴돌고 있었다. 아버지가 의자 밑에서 보온병을 꺼냈다. 그녀는 흔들리는 차 안에서 그것을 조심스럽게 따라 마셨다. 둥글고 쌉싸름한 맛이 목을 타고 내려갔다. 오래 떨다가 따뜻한 것을 마시니 아랫배에 알알한 느낌이 들었다. 아버지가 요리 후에 끓이는 마테 차는 그 향기와 맛이 다른 무엇과도 비교할 수 없을 만큼 훌륭했다. 떨림이 가시자 몸이 차츰 노곤해졌다.

아버지의 택시에 탄 것은 꽤 오랜만이었다. 대학입시 때 이 택시를 타고 고사장에 갔던 기억이 났다. 예전의 자리에서 한 발짝도 움직이지 못했다는 생각이 들었다. 모든 게 그대로였다. 그녀는 차를 다시 한 모금 깊게 마셨다.

아르헨티나 산 마테 특유의 그윽한 향기가 차 안에 퍼졌다. 아버지는 평소에 마테 잎을 직접 말려 차를 우려내곤 했다. 좋은 마테 찻잎에서는 바람, 태양, 흙의 향취를 느낄 수 있다. 감각이 활짝 열려서, 미처 느낀 적 없었던 시간, 장소에까지 가 닿는 것이다.

그녀와 아버지는 라디오도 틀지 않고, 낡은 엔진의 흔들림을 느끼며 밤의 도로를 달렸다. 별도 뜨지 않은 검은 하늘에 구름이 떠다녔다.

"사실은 그것 때문에 요리를 하는 거야. 마테 맛을 보려고."

차를 홀짝이는 그녀를 보고, 아버지가 조용히 말했다.

"이것 때문이라고요?"

"그래."

아버지는 미소를 지었다.

"좋은 차는 요리의 맛을 지우지 않고 하나로 만들어주거든. 너는 아직 잘 이해하지 못할 거다."

그녀는 핸들을 잡은 아버지의 손을 바라보았다. 문득 J의 긴 손가락이 떠올랐다. 그에 대해서 아는 게 하나도 없지만 그에게도 이 차를 마시는 시간만큼은 도움이 될 거라는 생각이 들었다. 정식으로 마시는 마테는 도자기병에 빨대를 꽂아 대접한다. 주인과 손님이 함께 조금씩 나누어 마시는 것이다.

택시는 도시의 한가운데를 빠르게 달렸다. 번쩍거리는 네온사인을 단 커다란 건물들이 획획 지나갔다.

"서울의 밤은 이상해요"

미지근한 보온병을 붙잡고서 그녀가 말했다.

"불빛이 꺼지질 않아서, 기대를 버릴 수가 없어요."

아버지는 말없이 앞을 보고 있었다. 집에 가까워질수록 그녀는 졸음을 느꼈다. 오늘은 충분히 먼 길을 달려 제자리에 돌아왔으니 자전거를 타지 않아도 되리라는 생각이 들었다. 긴 밤 내내, 먼 나라의 차 향기가 그녀를 감싸안았다.

# 의자

편안함과 부드러움, 기쁨, 그리고 조금의 슬픔. 누구든지 그 의자에 앉아보면 쉽게 알아챌 수 있을 것이다. 그것은 어디에나 있는, 눈에 띄지 않는 나무의자였다.

점심을 먹고 난 뒤, 그는 내게 갖고 싶은 게 있냐고 물었다. 결혼식을 열흘 앞둔 날이었다. 우리는 오후 두시의 창가에 나란히 앉아 있었다. 카페의 스테인드글라스를 통과한 푸른빛이 그의 손을 물들였다. 정맥이 뛰는 그의 팔뚝이 파란색 물고기처럼 보였다.

나는 그 물고기가 보라색으로, 붉은색으로 점차 변하는 것을 지켜보다가 문득 대답했다.

의자.

의자?

그가 되물었다. 나는 고개를 끄덕였다.

의자를…… 어떤 의자 말이야?

나는 허공에 손가락으로 그림을 그려 보였다.

천을 덧대거나 못을 박지 않은 나무의자. 장식이나 조각은 하나도 없어야 해. 등받이는 머리를 받칠 만큼 높고, 손으로 만지면 나뭇결이 느껴지는 의자.

도무지 감이 안 잡히는데.

그가 힘없이 웃으며 대답했다.

이렇게 하자. 그건 이정 전문분야잖아. 이정이 그 의자를 찾으면, 내가 가져다줄게. 값이나 무게, 크기에 상관없이.

나는 그의 손을 잡으며 미소지었다.

좋아.

그는 내게 붙잡힌 손을 빼내며 마주 웃어 보였다.

돌아서서 걸어가는 그를 한참 동안 바라보았다. 길거리의 다른 사람들이 대개 구부정한 어깨로 서 있는 반면 그는 반듯하게 허리를 세우고 있었다. 병원에 돌아가면 그는 감각이 없어질 때까지 손을 씻어댈 것이다. 그것을 알면서도, 손을 잡았다. 점차 작아지는 그의 뒷모습에 눈이 시렸다.

안과 진료를 받으러 갔던 날 그를 처음 만났다. 자꾸 눈이 충혈되고 눈물이 맺힌다고 말하자 그는 램프를 잡으며 눈을 떠보라고 했다. 나는 그의 눈을 바라보았다. 눈이 마주치자, 그는 시선을 피했다. 그는 램프를 잡고 다른 각도로 빛을 비추었다. 나는 다시 그의 눈 속을 들여다보았다. 물속에 잠긴 듯 아득한 눈이었다. 그의 눈빛이 흔들렸다. 그는 미간을 찌푸렸다.

124

왜 자꾸 나를 보는 겁니까.

그는 나보다 열 살이 많은 남자였다. 이르게 반백이 된 머리 칼에, 몸에서는 희미하게 나프탈렌 냄새가 났다. 나는 누군가의 눈을 취미 삼아 들여다보는 사람은 아니었다. 그런데도, 그의 눈을 보기 위해서 일주일간 빠짐없이 병원에 나왔다. 그는 예의를 다하듯 저녁을 먹자고 했다.

대화를 나누고, 웃고, 질문에 대답을 하는데 그와 나는 계속 어긋나기만 했다. 그는 마비상태에 빠진 사람처럼 반응이 한 박자씩 느렸다.

먼저 그를 이끌고 집으로 간 것은 나였다. 그는 땀을 많이 흘렸고 쉽게 지쳤다. 옷을 입기 전에는 한 시간이나 샤워를 했다. 그런데도, 그에게 매일 전화를 걸었다. 그의 찡그린 미소를 생각하면 눈이 시렸다. 나는 그에게 이상한 부채감을 느꼈다. 그는 열린 문을 보듯 나를 바라보았다. 나는 그를 가능한 한 먼 곳으로 데려가고 싶었다.


가게로 돌아와 주석화병을 암실에서 꺼냈다. 지난주에 들어온 18세기 중국 제품이었다. 암실에서 편안히 숨죽이고 있던 화병은 불빛 아래 나오자마자 끈적끈적한 기운을 뿜어냈다.

앤티크숍에서 일하기 시작한 지는 햇수로 이 년이 되었다. 어학연수중에 친구들을 따라 크리스티 경매장에 갔던 것이 이 길의 첫걸음이었다. 그곳의 반짝거리는 경매장에 가득 찬 사람들은 벌레 먹은 삼단 서랍장을 둘러싸고 있었다. 누구도 소란스럽게 입을 열지 않았다. 그들은 서랍장의 이야기를 듣는 것처럼 몸을 앞으로 기울이고 있었다. 전공을 바꾸겠다고 했을 때 엄마 역시 말을 잘못 들은 사람처럼 내게 몸을 기울였다.

면장갑을 끼고 화병의 표면을 천천히 닦아내기 시작했다. 도포해두었던 크림이 먼지와 함께 닦여나왔다. 화병의 색깔이 점차 밝아졌다.

의자, 라고 말했을 때 그의 표정이 떠올랐다.

그 단어는 생각보다 앞서서 튀어나갔다. 말을 한 뒤에야 알수 있었다. 오래 전 어린아이였던 내가 그 옆에 서 있었다. 방학때마다 할아버지 집에 가지 않겠다고 엄마에게 울며 대드는 소리, 넓은 정원 한가운데서 나를 맞이하던 할머니의 두 팔, 할아버지가 누워 있는 방의 어두움, 이층 한옥의 냄새, 아무 일도 일어나지 않는 하루. 의자는 그 일련의 감각들과 함께 기억 깊숙한 곳에서 떠올랐다.

할아버지 집에는 보기 드물게 커다란 가죽소파가 있었다. 의자는 소파의 거대한 그림자 속에 눈에 띄지 않는 자세로 서 있었다. 아무 특징도 없는 다리와 팔걸이를 가진 의자였는데, 앉아보면 놀랄 정도로 편안했다. 등을 기대면 나무줄기로 엮은 등받이가 허리에 부드럽게 밀착되었다.

할아버지는 보조장치를 달고 누운 환자였다. 그는 내게 한 번도 특별한 반응을 보인 적이 없었다. 내가 태어나고 얼마 안 돼

126

서 병으로 쓰러졌다는 할아버지는 그 탓인지 원래부터 그런 건지 표정이 없었다. 그는 꽤나 넉넉한 형편이었는데도 간병인을 쓰지 않았다. 그래서 할머니가 늘 고단했다.

방학이 오면 나는 아버지의 뜻에 따라 할아버지 집에 내려가 지냈다. 동네에 어린아이가 하나도 없는 그곳에서 나는 인상을 쓰며 책을 읽었다. 할머니는 나에게 신경을 써줄 여유가 없었다. 그녀의 하루는 온전히 할아버지에게 속해 있었다. 두 시간에 한 번씩 시트를 갈고, 십수 가지 약을 챙기고, 빨래와 요리를 해야 했다. 아무도 내게 관심을 보이지 않는 그 집에서 나는 곧 시간을 잊어버렸다. 대신 공기의 질이 달라지는 것과 어둠의 농도가 짙어지는 것을 바라보았다.

할머니는 하루의 일과가 끝나면 나를 거실로 불러 우유와 과자를 내주었다. 그리고 자신은 의자에 앉았다. 거기에서 책을 읽기도 하고, 뜨개질을 하기도 하고, 담요를 두르고 앉아 차를 마시기도 했다. 스르륵 잠이 들 때도 있었다. 나는 할머니를 멀뚱멀뚱 바라보다가 한숨을 내쉬며 방으로 들어갔다.

그 집에 머무는 것을 좋아해본 적은 한 번도 없었다. 할아버지가 돌아가시고 난 뒤 중학생이 된 나는 좀처럼 시골에 내려가지 않으려고 했다. 할머니는 어학연수중에 돌아가셨다. 나는 할머니에 대해서 아무것도 아는 게 없었다. 그래도 가끔 그녀를 떠올리곤 했다. 할머니는 그 커다란 집 한쪽에서 조용히 의자에 앉아 있었다.

그에게 그 의자 이야기를 하고 싶었다.

초인종을 누르자 집 안에서 달그락거리는 소리가 났다.

누구세요?

엄마는 인터폰 카메라에 비치는 내 얼굴을 뻔히 보고 있으면서도, 낭랑한 목소리로 물었다. 대답하지 않고 서 있자, 곧 문이 열렸다.

왜 왔어? 당분간 보지 말자니까.

부엌에서 야채를 다듬고 있던 엄마는 꽉 다문 입술을 실룩거렸다.

엄마는 결혼을 반대하고 있었다. 그에게 아이가 있는 것을 받아들일 수 없다는 것이었다. '전처 자식은 불씨 같은 거야. 감싸안을 수도 없고, 어디로 튀어 불이라도 나면 전부 네 책임이지.' 엄마는 주문을 외듯 말했다. 아이는 시댁에서 데려다 키울 거라고 해도 아무 소용이 없었다.

뭐 좀 가지러 왔어요.

나는 방에서 앨범을 꺼내 나왔다. 바닥에 앉아 앨범을 팔락이는 나를 보고 엄마가 다가왔다. 엄마는 엉거주춤 고개를 빼고, 바보스럽게 웃는 사진 속의 나를 바라보았다. 그리고 이내 가라앉은 목소리로 그건 왜, 하고 물었다.

이 의자 기억나요?

할아버지 집의 거실에서 찍은 사진을 짚어 보이며 내가 물었

128

다. 물방울무늬 원피스를 입고 소파에 앉은 내 뒤로 한쪽 발이 잘려나온 의자가 보였다.

이게 뭐야.

엄마는 앨범을 끌어당겨 찬찬히 들여다보았다. 도통 모르겠다는 표정으로 사진을 바라보던 엄마는 내 설명을 듣고 한참이 지나서야 아, 하고 고개를 끄덕였다.

엄마는 그 의자가 할머니의 혼수품이었다고 했다.

만든 사람에게서 직접 선물로 받은 거라고 하셨어. 시집오면서 가져온 것 중에 그게 제일 크고 튼튼했다고.

엄마는 흥미없다는 듯 사진을 내려놓으며 말했다.

할머니 돌아가신 뒤에 시골 살림은 전부 처분했잖니.

중개인에게 넘긴 중고 물품 중에 그 의자도 같이 딸려갔을 거라는 얘기였다. 나는 유일한 단서가 된 사진을 앨범에서 빼냈다.

밥 안 먹고 가?

안 먹어요.

서둘러 집을 나서는 내 뒤에 대고 엄마가 물었다.

그런데 몇살이랬지, 그애가?

대답 없이 닫는 문 틈으로 그게 불씨라니까, 외치는 소리가 새어나왔다.


아이를 처음 본 것은 그의 집에서였다. 어둑어둑한 거실에서 아이를 봤을 때 나는 꽤나 당황했다. 그는 내게 한 번도 아이 얘기를 한 적이 없었기 때문이다. 짧은 머리의 남자아이는 놀란 기색도 없이 나를 바라보았다. 회색빛이 도는 눈동자에 팔다리가 인형처럼 가는 아이였다.

아이는 여섯 살이었다. 그리고 말을 하지 못했다.

장애 같은 건가?

내가 물었을 때 그는 칼칼한 목소리로 대답했다.

모르겠어.

그는 복도 끝 자기 방으로 들어가는 아이의 뒷모습을 멀리서 바라보았다. 아내가 죽은 뒤 아이는 가정부가 맡아 키우고 있다고 했다.

아이는 그의 집에서 아주 작은 부분을 차지했다. 대화를 할 수도, 질문을 할 수도 없었기 때문에 우리는 가끔 그냥 서로를 바라보았다. 시냇물 속의 하얀 조약돌 같은 아이였다.

주말에 나는 그와 함께 백화점에 갔다. 될 수 있는 한 집 안 살림을 전부 바꿀 참이었다. 그의 집을 채운 물건들은 모두 모래바람을 맞은 듯 퇴색된 빛깔이었다. 내가 의견을 물을 때마다 그는 묵묵히 고개를 끄덕이기만 했다. 아무래도 상관없다는 태도였다. 그는 주머니에서 손을 꺼내지 않은 채 백화점을 돌아다녔다.

쇼핑백을 가득 짊어지고 집에 돌아왔을 때 거실에는 아무도 없었다. 그가 손을 씻는 동안 나는 아이의 방에 들어갔다. 문이 열리면서 바닥의 물건들이 죽 밀렸다. 옷더미와 책, 장난감이 수집품처럼 바닥에 널려 있었다. 침대에 앉아 있던 아이가 나를

130

보고 투명하게 웃었다. 나는 아이에게 손짓을 했다.

아이는 백화점에서 사온 빵을 두 손에 들고 베어먹었다. 그는 언제나처럼 아이에게 시선을 보내지 않았다. 아이는 소리없이 우리 사이에 앉아 있었다. 두 사람은 서로를 밀어내듯 조용히 숨을 내쉬었다. 정각을 알리는 시계 소리가 울렸다. 그는 아이가 빵을 다 먹기도 전에 자리에서 일어났다.

나 때문이라면 아이를 꼭 보내지 않아도 돼.

언젠가 내가 말했을 때 그는 피곤한 듯 얼굴을 쓸면서 대답했다.

그만 떨어져 지내는 게 좋아. 저애도 나도.

솔직히 나는 안도감을 느꼈다. 아이를 키우는 일에 대해 생각해본 적은 없었기 때문이다. 사정을 아는 친구들은 이왕이면 외국으로 보내는 게 더 좋은데, 라고 농담처럼 말했다. 우습지 않은 우스갯소리에 나는 머리를 갸웃거렸다.

해가 떨어지자 유난히 천장이 높은 그 집 곳곳에 썰렁한 기운이 돌았다. 나는 새로 들어올 가구의 위치를 정하기 위해서 줄자를 들고 집 안을 돌아다녔다. 가정부를 두고 있다고 해도 구석구석에 모자라고 빈 부분이 눈에 띄었다. 어느 서랍에는 속옷과 장갑이 함께 뒹굴고 있었고, 깨진 액자와 유리도 발에 채었다. 먼지 더께와 같이 쌓여 있는 책들을 정리하는데 임신, 육아에 관한 몇 권의 책이 눈에 띄었다. 반듯하게 그어진 밑줄과 동글동글한 글씨들이 보였다. 나는 한참 동안 그것들을 내려다보았다.

그는 아내를 어떻게 잃었는지 이야기해주지 않았다. 언제, 왜 그렇게 되었는지도 말하지 않았다. 아이를 보고 있으면 여자의 생김을 그려볼 수 있었다. 하얗고, 자그마한 여자였을 것이다. 이 집에서 그가 그녀와 함께 웃고 밥을 먹었다고 생각하면 이상한 기분이 들었다. 나는 가끔 그 상냥한 여자가 나를 손님으로 대접하는 악몽을 꿨다. 그럴 땐 영영 아이를 보고 싶지 않았다.

*

가게 일이 끝나면 나는 사방으로 의자를 찾으러 다녔다. 하지만 좀처럼 눈에 띄는 것이 없었다. 디자인이 닮았어도, 일단 앉아보면 완전히 다르다는 걸 알 수 있었다. 맞춤제작을 하는 수밖에 없었다.

처음에는 사진을 들고 몇 군데 공방에 직접 찾아갔다. 사진으로는 설명할 수 있는 게 많지 않아서 대개 장황한 이야기를 할 수밖에 없었다. 의자가 어떤 감촉이었는지, 어떤 형태였는지를 얘기하고 있으면 목수들의 표정이 일그러졌다. 참을성이 없는 축들은 말을 마치기도 전에 다른 데서 알아보라며 손을 휘휘 저었다.

이런 건 쉽게 주문을 받을 수 없어요.

한 여자 목수는 마스크를 벗으며 말했다.

주문하신 그대로 만들려면 원목부터 새로 찾아야 해요. 그걸

132

제재해서 건조시키는 데 적어도 이삼 년이 걸리죠. 그리고 말씀하신 대로라면, 이건 이음으로 만든 의자예요. 전통목공 기술자가 만든 의자라는 뜻이에요. 못을 쓰지 않고 나무를 맞추는 거죠. 그런 기술은 요즘 흔한 게 아니에요.

여자 목수는 손으로 사진을 짚어 보였다.

이건 팔기 위해서 만든 의자가 아니에요. 패턴을 보면 알 수 있죠. 작가가 도면부터 직접 그렸을 거예요. 선이 조금만 어긋나도 느낌이 달라질 텐데 누가 그런 일을 맡으려고 하겠어요?

그녀는 나를 위로하듯이 한숨을 내쉬었다. 그리고 처음에 만든 곳을 찾는 게 빠를 거예요, 라고 덧붙였다.

서울 곳곳의 공방을 드나든 일주일 동안 나는 의자에 대해 보다 많은 정보를 갖게 되었다. 의자가 느티나무로 만들어졌다는 것과, 연귀짜임이라는 전통목공 방식으로 이루어진 것, 또 일일이 나무를 깎아내는 방식으로 곡선을 만들었다는 사실이었다. 목수들은 하나같이 손을 내저어 보였다. 만약 누군가 일을 맡는다 해도 웬만한 값으로는 안 될 거라고 했다.

나는 매일 녹초가 되어 집으로 돌아왔다. 피로와 의문이 점차 더해지는 기분이었다.

보통 시간과 노력이 아니었을 거예요.

여자 목수는 말했다.

이 의자는 그 자체가 조각인 셈이에요.

만들 수 없다는 말을 반복해서 들을수록 의자를 만든 사람에 대한 궁금증이 생겼다. 할머니에게 그 의자를 선물한 사람이 누구였을까. 그토록 정성을 다해 만든 의자를 선물한 사람이.

불도 켜지 않고 누워 천장을 보고 있는데, 문득 엄마가 했던 말이 떠올랐다. 나는 소리없이 자리에서 일어나 앉았다. 엄마는 잠결에 전화를 받았다.

할머니 살림 말이에요, 전부 어디에 팔았다고 했죠?

엄마는 시골 살림을 처분한 중개인의 전화번호를 찾아내 더듬더듬 불러주었다. 이미 자정이 다 된 시각이었다. 전화를 끊은 나는 인기척을 느끼고 주위를 둘러보았다. 어두운 방 안의 가구들이 몸을 웅크린 듯 보였다.

중개인은 할머니를 기억하고 있었다. 이층 주택 안의 물건을 전부 다 자신이 처분했기 때문에 잊지 않고 있다고 했다. 전화기 너머로 한참 동안 장부의 종이를 넘기는 소리가 들려왔다.

여기 있네요. 그 의자가…… 거참 멀리도 갔네.

나는 펜 끝을 깨물어댔다. 중개인은 헛기침을 했다.

함양으로 팔려갔어요. 전화번호는 없고 주소만 있네. 그런데 아가씨, 함양이 어딘지나 알아요?

함양은 할머니의 고향이었다. 나는 종이 위에 펜을 내려놓았다. 순간, 사진 속에서도 뿌옇기만 했던 의자의 형상이 보다 또렷하게 눈앞에 떠올랐다.

점심시간에 나는 병원으로 그를 찾아갔다. 의자 이야기를 할 참이었다. 구내식당은 사람들로 몹시 혼잡했다. 한참을 헤맨 끝

134

에 흰 가운을 입은 한 무리의 의사들 틈에서 그를 찾아냈다. 그는 탁자 끝자리에 앉아 있었다. 혼자였다. 나는 그에게 다가가려다 그 자리에 멈춰 섰다. 왠지 앞으로 더 나아갈 수가 없었다.

무표정한 그는 아무 데도 보지 않고, 꼿꼿이 앉아서 음식을 씹어넘기고 있었다. 그는 누구도 필요하지 않아 보였다. 나는 식사를 마친 후 냅킨으로 꼼꼼히 손가락을 닦는 그를 바라보았다. 그는 내 옆을 가까이 스쳐갈 때도 나를 알아채지 못했다.

그의 부모님이 나를 찾아온 것은 그주의 마지막 날이었다. 전화가 왔을 때 나는 온통 녹슬고 망가진 한 무더기의 유물 가운데 있었다. 경매사에서 거래한 상품이 들어온 날이었다.

가게 앞 레스토랑에서, 제법 격식 있게 옷을 차려입은 그들 부부가 나를 향해 손을 들었다.

잘 지냈니.

종업원이 물을 가져오자 어머니는 성마르게 한 컵을 다 마셨다.

날을 잘못 잡았는지 도로가 꽉꽉 막혔어. 거의 움직이질 않더구나. 괜히 나섰나 싶었지만 그래도 볼일이 있으니 돌아갈 수도 없고.

네.

나는 잠자코 이야기를 듣고 있었다. 무슨 영문인지 알 수가 없었다. 아버지 쪽은 줄곧 다른 곳을 쳐다보았다.

놀랄 것 없다. 뭐 다른 일이 있어서 온 게 아니라 그냥 한두 마디 얘기를 하러 온 거니까. 엊그제부터 불안한 생각이 들어서. 나는 한번 불안한 생각이 들면 아무것도 할 수가 없단다. 그러니까 밥을 먹을 수도, 잠을 잘 수도 없게 돼. 이건 아주 힘든 문제란다.

그녀는 손수건을 꺼내 땀을 닦았다.

사실…… 이 결혼은 좀 뜻밖이야. 나는 그애가 다시 누군가를 만날 수 없을 거라고 생각했거든. 너도 알겠지만 그애는 좀, 괴팍한 데가 있지 않니. 나는 너를 신기하게, 또 고맙게 여기고 있다. 하지만 앞으로가 쉽지 않으리라는 것도 누구보다 잘 알고 있어. 너는 곧 지금보다 많은 것들이 필요하다고 느끼게 될 거야. 결혼생활이란 간단치가 않은 법이다.

그녀는 혼잣말을 하듯 중얼거렸다. 그리고 나를 바라보았다.

그애는 병들어 있어. 네가 그것을 잊지 않았으면 좋겠다. 그애는 정상이 아니야. 전처를 잃고 나서 그애는 너무 많이 변해버렸어. 애엄마가 죽을 때 함께 죽은 셈이야. 어려서부터 함께 자랐고, 그러니까 그애를 묻을 때 뭔가를 함께 묻어버린……

그의 아버지가 어머니의 팔꿈치를 잡았다. 어머니는 화들짝 놀란 듯 나를 바라보았다. 그녀는 물을 다시 한 모금 마셨다.

네가 그애를 좀 이해해줘. 네가 조금만 도와준다면 점차 나아질 거야. 어린애는…… 어린애에 대해서라면 걱정하지 마. 내가 데려갈 테니까. 없는 것처럼 생각해도 돼. 알겠니? 그래, 얘길

136

하고 나니 좀 안심이 되는구나.

그녀는 이야기를 마치고 샐러드를 시켜서 먹었다. 그의 아버지는 어딘지 침통한 표정을 지우지 않고 자리를 지켰다. 두 사람은 가게에 들러 구경을 한 뒤에 덤덤하게 주석화병을 사갔다.

*

터미널 안은 무척 혼잡했다. 나는 쏟아지는 빗줄기를 바라보고 있었다. 비 내리는 기세가 얼마나 거센지 길에 서 있기만 해도 바짓단이 젖어들 정도였다. 승차장 앞에서 티켓을 만지작거리던 나는 출발 직전이 되어서야 손을 흔들고 버스에 올랐다.

버스는 함양행 팻말을 달고 있었다. 평일 오전이라 버스 안은 한산했다. 나는 그에게 전화를 걸어 친구를 만나러 간다고 거짓말했다. 왜 거짓말을 한 건지 스스로도 이해할 수 없었다. '그때 뭔가를 함께 묻어버린 셈이야.' 되뇌는 말소리가 귓가를 떠나지 않았다.

먼저 결혼 이야기를 꺼낸 것은 그였다. 그때 우리는 새벽길을 걷고 있는 중이었다. 아무 인적이 없는 길 위에 그의 구두 소리가 울렸다.

어둠 속에서 벌떼에 쫓기는 꿈을 꿨던 적이 있어, 라고 그가 말했다. 술에 조금 취해 있던 나는 그를 올려다보았다. 그는 낯선 사람처럼 보였다.

윙윙대는 소리가 귓속까지 울리고, 꼭 수만 개의 송곳에 찔리는 것 같았어. 나는 팔을 휘두르며 도망가지만 어쩔 수가 없어. 앞이 보이지 않아서 그것들이 어디로 덤벼올지 알 수가 없거든.

그는 허공을 뚫어져라 응시했다.

마지막에는 그것들과 내가 점차 어둠 속에서 알아볼 수 없게 엉기고 마는 거야.

차가운 공기중에 그의 입김이 하얗게 번졌다. 나는 그때 그의 몸속에 갇힌 무언가를 보았다고 생각했다. 그것은 그의 눈동자를 통해 잠깐 나타났다가 사라졌다. 나를 비웃듯이, 내게 애원하듯이. 그리고 순식간에 사라져버린 것이다.

버스는 땅에서 조금 떠오른 듯 빗길을 달렸다. 함양은 한 번도 가본 적 없는 곳이었다. 그런데도 나는 왠지 그곳으로 돌아가고 있는 것 같은 기분이 들었다. 창밖으로 푸른 논밭이 스쳐지나갔다.

함양 군내에 도착한 뒤에도 비는 멎지 않았다. 빗줄기를 구경하고 있는 철물점 주인에게 주소를 보였더니 길 끝까지 걸어가라며 손짓을 했다. 나는 주택가를 따라 상림으로 통하는 숲의 아래까지 내려갔다. 간격을 두고 서 있는 서너 채의 건물이 보였다. 산줄기에 둘러싸인 사방이 빗소리뿐 온통 고요하기만 했다. 나는 주소지를 들고 그 주변 길을 한 바퀴 돌았다. 그때 어디선가 기계음이 들렸다.

138

소리가 흘러나오는 건물 앞에 다가선 나는 주소를 확인해보았다. 대문 앞에는 자그맣게 공방의 명패가 달려 있었다. 문은 가볍게 밀렸다.

열린 문으로 들어가 인적이 없는 널찍한 공터 쪽으로 향하자 소리가 시작된 곳이 보였다. 조도가 낮고 서늘한 그 공간은 나무 향기로 가득했다. 한쪽 구석에서 목재를 재단하고 있던 작은 키의 남자가 나를 바라봤다. 그는 전기톱의 스위치를 껐다.

누구시죠?

그의 얼굴이 불빛 아래에 드러났다. 남자는 내 또래쯤으로 보였다.

가구를 보러 왔어요.

나무 먼지를 허옇게 뒤집어쓴 그는 내 표정을 보더니 선생님을 찾으러 오신 거군요, 라고 말했다.

기다리세요. 선생님은 지금 윗숲에 가셨어요.

젊은 목수는 앉은뱅이의자를 끌어오더니 내게 앉으라고 권했다. 그리고 자신은 수건을 들고 공터 쪽으로 나가 먼지를 털었다.

나는 벽에 붙은 오래된 영화포스터와 신문기사 들을 바라보았다. 주위를 둘러보았지만 의자는 보이지 않았다. 대신 탁자와 문갑, 반닫이 같은 것들이 여기저기 서 있었다. 액자에는 굵은 둥치 옆에 선 늙은 노인의 사진이 들어 있었다.

무슨 가구를 보러 오셨어요?

남자가 바깥에서 목소리를 높여 물어왔다.

의자요.

나 역시 큰 목소리로 대답했다. 남자는 의아한 표정으로 나를 돌아보았다.

우리는 의자를 만들지 않는데요.

나는 가방에서 사진을 꺼냈다. 그가 내게 다가와서 사진을 건네받았다.

할머니의 의자였어요.

그는 그것을 말없이 들여다보았다. 한동안 침묵이 흘렀다. 창문 너머로 빗소리가 들렸다.

이 의자를 알아요.

고개를 들지 않고서, 그가 말했다.

이건 큰아버지가 만든 거예요.


나는 남자가 일러준 대로 숲의 가운데를 가로질러 들어갔다. 길이 험한데다 비까지 내려 주위에 인적을 찾아볼 수가 없었다. 빗방울에 부딪힌 잎사귀들이 사방에서 우수수 흔들렸다. 웅덩이에 발이 빠져 양말이 흥건해진 뒤에는 오히려 걷기가 편해졌다.

진흙물이 고인 연못에 커다란 연잎이 떠다니는 게 보였다. 나무가 우거진 숲속에 서 있는데도 빗소리 때문에 혼자라는 생각이 들지 않았다. 나뭇잎이 하늘을 가려 눈앞의 길밖에 보이지 않았다.

젊은 목수는 사진을 본 뒤 내게 차를 끓여와 내어주었다. 조

140

용한 목소리에 움직임이 단정한 남자였다. 그는 그의 큰아버지를 '선생님'으로 부르고 있었다. 도제수업을 받고 있는 것 같았다. 그가 의자를 안다고 얘기한 순간 나는 안도감을 느꼈다. 그러니까 그 의자가 실재하기는 했던 것이다.

나는 그와 마주 앉아 차를 마셨다. 창문을 두드리는 빗소리가 사람들의 소곤거림같이 들렸다. 나는 그에게 할머니에 대해서 이야기했다. 그리고 내 결혼에 대해서도. 의자 이야기는 하지 않았다. 실을 풀며 걸어가는 기분이었다. 공터에 쌓아둔 원목 위로 계속 빗줄기가 떨어졌다. 나는 그것을 바라보다가 물었다.

저렇게 계속 비를 맞아도 돼요?

일부러 두는 거예요. 바람과 비를 충분히 겪어야 나중에 뒤틀림이 없어요.

그가 빈 잔에 뜨거운 물을 따라주었다.

저분 밑에서 배우고 있는 건가요?

나는 노인의 사진을 가리켰다.

네, 대학에 있다가 그만두고 큰아버지께 내려온 지 얼마 안 됐어요. 나무를 만지는 게 가족 내력이니, 도망칠 수가 없는 거죠.

나는 고개를 끄덕였다. 그는 작업대가 있는 안쪽을 바라보았다.

할아버지는 집을 짓는 대목(大木)이셨어요. 큰아버지와 아버지 두 분 모두 어려서부터 나무를 다루셨죠. 큰아버지는 저희 아버지와 나이 차가 많은데다 솜씨가 워낙 좋아서 할아버지로부터 더 각별하게 애정이랄까, 기대를 받았다고 해요. 할아버지 자신이 유명한 대목이었으니 그 큰아들이 자기와 같이 되기를 바랐던 거죠.

그는 어깨를 으쓱해 보였다.

그런데 대목이 된 건 아버지예요. 큰아버지는 제가 태어났을 때 이미 소목(小木)으로 자리를 잡고 장이나 문갑 같은 가구를 만들고 계셨죠. 할아버지는 돌아가실 때가 다 되어서야 큰아버지와 화해하셨어요. 할아버지 일을 물려받은 건 우리 아버지예요.

그는 찻잔을 감싸쥐었다. 그러면서 흘긋 내가 가져온 사진을 바라보았다.

나는 큰아버지가 소목이 된 이유가 뭔지 늘 궁금했어요. 하지만 아버지조차 그 까닭을 알지 못했죠. 큰아버지는 원체 속을 보이지 않는 분인데다, 그 일에 대해서는 한 번도 내색하지 않았으니까요. 다만 아버지께 이 얘기를 들었어요. 언젠가 큰아버지가 젊었을 때 크게 열병을 앓았던 적이 있다고요. 하마터면 청력을 잃을 뻔했대요. 그때 가까스로 자리에서 일어난 큰아버지가 만든 게 바로 이 의자예요. 몸을 회복한 큰아버지는 다시는 집을 짓지 않겠다고 하셨대요. 집을 지을 수 없다고요. 나는 이 의자를 사진으로만 봤어요. 아버지가 찍어두셨던 거죠. 아버지는 큰아버지가 만든 건 뭐든지 사진으로 찍어두셨거든요.

그는 기억을 돌이키듯 미간을 좁혔다.

그게 어떤 건지 잘 모르실 거예요. 큰 나무를 다루던 사람들은 작은 나무를 다루지 못해요. 그건 정신의 결을 반대방향으로

142

바꾸는 것과 같죠.

그의 얼굴은 처음보다 상기되어 보였다. 잠시 정적이 흘렀다. 나는 그에게 작은 목소리로 말했다.

저한테 의자를 만들어주실 수 없나요.

저는 아직 수습 단계의 일꾼이에요. 목재 하나도 허락 없이 자를 수 없어요.

그는 처음으로 웃었다. 웃는 것을 보니 처음 생각했던 것보다 더 나이가 어려 보였다.

저 숲에 가면 느티나무를 볼 수 있어요?

내가 물었다.

물론이죠. 선생님도 거기 계실 거예요. 일이 없을 땐 늘 그곳에 계시니까요.

그는 공터의 젖은 흙 위에 길을 그리며 방향을 일러주었다.

숲의 깊은 곳으로 들어갈수록 나뭇가지들이 휘어져 눈앞을 가렸다. 나는 우산으로 가지를 밀어내며 걸어갔다. 혼자 빗속의 숲을 걸어가다니, 생각해본 적도 없는 일이었다. 그런데도 그리 두려운 기분이 들지 않았다.

흙탕물이 흐르는 개울가에 멈춰 서서 아래로, 아래로 흐르는 물결을 한참 동안 내려다보았다. 나는 우산을 다른 손으로 바꾸어 들었다. 멀리서 한 사람이 걸어오고 있었다. 세찬 빗속이라 얼굴을 잘 알아볼 수 없었다. 그는 걸음을 멈추었다. 그리고 나를 바라보았다. 빗속에서 붉은빛을 띤 금색의 잎맥들이 반짝거렸다. 그와 나는 그렇게 잠시 한자리에 서 있었다. 상처 입은 나무처럼, 그의 얼굴이 흔들렸다. 나는 웅성대는 숲을 바라보았다. 비에 젖은 느티나무들이 끝도 없이 늘어서 있었다.

*

이삿짐센터 인부들은 순식간에 아이의 방을 정리했다. 나는 결혼식이 끝난 직후 아이와 함께 보낼 물건을 이것저것 사들였다. 그런데도 박스가 채 네 개도 되지 않았다. 아이는 짐을 꾸리는 동안 거실에 앉아 텔레비전을 보고 있었다. 새로 사준 피케 셔츠를 입은 아이는 간혹 제 방 쪽을 돌아보았다.

정오 무렵, 짐을 실은 트럭이 먼저 떠난 뒤에 나는 아이와 함께 집 밖으로 나왔다. 조수석 문을 열어주자 아이가 무릎으로 의자에 올랐다.

창문 열어줄까?

아이는 고개를 저었다. 눈을 감았다 뜨는 것이 제 아빠의 표정과 꼭 닮아 보였다. 아이는 창가에 머리를 기대고 앉았다. 아이는 손가락을 하나씩 번갈아가며 유리창에 갖다댔다. 손가락 도장을 찍듯이.

잘 가고 있는지를 확인하는 엄마의 전화와 어머니의 전화가 연달아 울렸다. 그에게서는 아무 연락이 없었다. 차 안은 내내 고요했다. 나는 아이에게 무슨 말을 해야 할지 알 수 없었다.

144

휴게소에 닿았을 때 아이는 꾸벅꾸벅 졸고 있었다. 나는 아이를 내려다보다가 문득 그 헝클어진 머리카락을 만졌다. 아이는 나를 처음 보는 사람처럼 올려다보았다. 감촉이 부드러워서 손을 뗀 뒤에도 간지러운 느낌이 남았다. 휴게소 하늘에는 만국기가 달려 있었다. 형편없이 낡은 국기들이었지만 아이는 고개를 젖히고 그것을 자세히 쳐다보았다.

식당 안은 조금 후덥지근했다. 나는 아이를 앉혀놓고 돈가스와 우동을 시켰다. 음식이 나오기를 기다리는 동안 아이는 연신 손으로 눈을 비볐다. 나는 뒤 테이블의 남자와 여자가 하는 말을 듣고 있었다.

그들은 말다툼을 하고 있었다. 소리가 점점 거칠어지더니 갑자기 여자가 남자에게 욕설을 내뱉었다. 순간 둔탁한 소리가 났다. 남자가 여자의 머리채를 잡아올렸다. 여자는 비명을 지르면서 테이블 위에 있던 컵과 그릇을 남자가 서 있는 뒤쪽—우리를 향해 집어던졌다.

컵이 날아오는 것을 보고, 나는 아이를 끌어당겼다. 유리 깨지는 소리가 울렸다. 비명소리와 그릇이 바닥에 부딪히는 소리가 뒤섞였다.

남자들이 그들을 끌고 나간 뒤, 직원들이 난장판이 된 바닥을 정리했다. 주위에서 이제 괜찮다고 말하는데도 나는 아이를 위에서 덮어버린 것처럼 꼭 끌어안고 있었다. 지배인이 직접 나와서 몇 번씩 사과를 했다.

나는 두근거리는 가슴을 진정시키려고 숨을 골랐다. 손이 떨리고 있었다. 지배인은 음식값을 받지 않겠다며 우동과 돈가스를 내려놓았다. 뭘 먹을 마음 따위는 사라진 지 오래였는데, 어느새 아이가 우동에 입김을 불어넣고 있었다. 배가 고팠던 모양이었다. 아이는 손에서 자꾸 미끄러지는 젓가락을 몇 번이고 다시 고쳐쥐면서 우동을 먹었다. 나는 천천히 몸을 일으켜 아이를 바라보았다.

휴게소에서 커피를 마시고 나오면서 나는 아이의 손을 잡았다. 하늘이 푸르렀다. 나무 아래를 지나갈 때 바람이 불었다. 땀이 식으면서 등줄기에 짜릿한 기운이 흘렀다. 나는 아이와 나란히 차에 올랐다.

트럭 기사들은 추가금액에 대해 충분히 이야기한 뒤, 차를 돌렸다. 나는 휴대폰의 전원을 껐다. 집으로 돌아가는 길은 올 때보다 훨씬 가깝게 느껴졌다. 오후가 다 되어 아파트 주차장에 들어섰을 때 아이는 낯선 장소를 보는 것처럼 고개를 두리번거렸다.

인부들은 툴툴거리면서 아이의 짐을 원래의 자리로 돌려놓았다. 상자에서 나오는 아이의 물건은 어딘지 아침과 조금씩 달라 보였다. 아이는 구석에 서서, 허물어졌던 자신의 방이 다시 메워지는 과정을 하나하나 지켜보았다. 모든 과정이 끝났을 때 아이는 누구보다 지쳐 보였다.

뜨거운 물에 목욕을 한 아이는 침대에 누워 잠이 들었다. 아이는 잠결에 조금 울었다.

146

집에 돌아온 그는 무거운 숨을 내쉬며 내게 안겼다. 그에게서 희미한 나프탈렌 냄새가 났다. 그는 아이의 짐이 다시 돌아온 것에 대해 아무것도 묻지 않았다. 잠에서 깬 아이가 소파에 앉아 있었다. 그는 오랫동안 손을 씻었다. 그는 맥주를 가져와서 아이 맞은편에 앉았다.

텔레비전에서는 뉴스가 나오고 있었다. 공장 건물이 주저앉아 인부가 매몰되었다는 소식, 이스탄불의 유대인 회당에서 일어난 자살폭탄테러 소식이 전해졌다. 연기와 불길이 뒤섞인 영상이 번쩍거렸다. 그는 화면을 바라보며 맥주를 들이켰다. 그때 가느다란 목소리가 들렸다.

엄마.

아이가 말했다.

아이가 그를 보고 말했다. 엄마.

그는 고개를 들었다. 그는 말을 세상에서 처음 들어본 사람처럼 눈을 깜박였다. 눈을 감았다 뜬 뒤에도 그 말은 여전히 그 자리에 있었다. 오랫동안 정적이 흘렀다. 그는 처음으로 아이를 바라보았다.


나는 그의 주름진 목덜미와 회색 머리칼에 얼굴을 묻고 있었다. 내내 잠을 이루지 못하고 뒤척이던 그는 한밤중에 자리에서 일어났다. 그가 방을 나간 후, 멀리서 아이의 방문이 열리고 닫히는 소리가 들렸다. 천장이 높은 그 집의 곳곳에 울림이 전해졌다. 나는 아이의 방에 들어간 그를 떠올려보았다.

스탠드를 켜자 엷은 빛이 흘러나왔다. 나는 가방 속에서 작은 종이주머니를 꺼냈다. 그것을 손바닥 위에서 거꾸로 흔들자 미세한 톱밥들이 떨어졌다. 함양에서 젊은 수습 목수와 헤어져 나올 때, 작업대 위에서 몰래 쓸어담은 것이었다. 톱밥의 감촉은 생각보다 딱딱하고 건조했다. 나는 그것을 곰곰이 들여다보았다. 가슬가슬한 나무톱밥을 손에 쥐고 있으니 할머니의 의자가 생각났다.

나는 의자를 찾지 못했다. 하지만 그 대신 희미하기만 했던 할머니에 대한 기억이 점차 선명해지고 있었다. 그것은 마치 암실에서 서서히 인화되는 필름을 바라보는 것 같은 과정이었다.

처음에 할머니는 그저 지친 몸으로 의자에 앉아 있었다. 하지만 이제 할머니는 보다 또렷해진 모습으로 매번 다르게 떠오른다. 할머니는 심심할 때 의자에 앉아 책을 읽는다. 화가 나면 의자에 곧게 앉아 분노를 삭인다. 온몸이 축 처질 땐 의자에 파묻힌 듯 기대어 눈을 감는다. 비가 오면 의자에 앉아 창밖을 바라본다. 그리고 지금 할머니는 대답을 하는 듯한 표정이다.

할머니는 오래된 질문에 대답하듯 의자에 앉아 있다. 나는 의자에 앉을 때 몸에 스며드는 느낌을 고스란히 떠올릴 수 있다. 편안함과 부드러움, 기쁨, 그리고 조금의 슬픔.

누구든지 그 의자에 앉아보면 쉽게 알아챌 수 있을 것이다. 그것은 어디에나 있는, 눈에 띄지 않는 나무의자였다.

148

# 댄스댄스

이 사람들은 그저 아침부터 저녁까지 노래를 부르고 춤을 출 뿐이야. 아무런 목적이나 가치 없이 말이다. 그래서 이렇게 아름다운 거야.

아버지는 스위스에 있는 신부학교 얘기를 자주 했다. 호숫가에 서 있는 고성(古城)과 그곳에서 생활하는 세계 부호의 딸들 이야기. 아침을 시작하는 부드러운 크루아상 한 조각과 꿀을 타서 마시는 커피, 벨벳으로 만든 자주색 승마복, 날렵한 가죽부츠, 밤색 애마가 좋아하는 각설탕, 고전문학을 주제로 하는 티타임, 삼중주의 실내악, 장밋빛 실크가운, 열린 창문을 통해 보이는 별들……

아버지는 내가 아주 어렸을 때부터 이 모든 것을 약속했다. 나에게 가장 친절한 어른은 아버지였기 때문에 나는 그의 말을 전부 믿었다. 아버지는 내게 모든 걸 다 잃어도 품위를 잃어서는 안 된다고 말했다. '그것만이 나의 유산이다.' 아버지는 그 말을 하길 좋아했다.

나는 아버지의 이야기들에 홀딱 빠져 있었기 때문에 세상이 모두 그런 식으로만 돌아가는 줄 알았다. 그래서 처음 학교 옆자리에 앉은 애가 아빠한테 맞은 곳이라며 시퍼런 멍을 보여줬을 땐 무척 충격을 받았다. 나는 그애에게 집을 나오라고 말했다.

"그것만이 품위를 지키는 길이야."

짝꿍은 고개를 끄덕였다. 수업이 끝난 후 나는 짐 싸는 것을 도와주려고 그애네 집에 같이 갔다. 그런데 막상 도착한 짝꿍의 집은, 그때까지 내 생애에서 호숫가의 고성과 가장 가까운 곳이었다. 거기에는 분홍색 리본을 단 애마는 없었지만 커다란 귀를 가진 리트리버 강아지와 나무에 매달린 그네, 이층의 발코니에서 펄럭거리는 크림색 커튼이 있었다. 나는 혼란스러운 기분으로 그애네 엄마가 앙증맞은 꽃무늬 접시에 담아주는 스펀지케이크를 먹었다.

"슈퍼마리오 할래?"

짝꿍은 가방 한가득 게임기를 집어넣다 말고 물었다.

"슈퍼, 뭐?"

볼이 미어지게 케이크를 삼키던 나는 멍하니 되물었다.

집으로 돌아오는 길에 나는 좀 울었다. 나는 주머니 속에 든 병아리색 멜로디 손목시계를 만지작거렸다. 그 최초의 도둑질은 내게 한 가지를 분명히 알려주었다. 내가 지켜야 할 건 품위가 아니라 자존심이라는 것.

152

아버지는 소아마비로 한쪽 다리를 절었다. 대신 키가 컸고 아주 멋진 목소리를 갖고 있었기 때문에 내게는 아무 문제도 되지 않았다. 엄마가 동생을 임신했을 때 아버지는 장미와 백합을 섞은 커다란 꽃다발을 선물했다. 장미색이 너무 붉어서 나는 좀 불길한 예감이 들었다.

동생은 예정일보다 세 달이나 앞서 세상의 문을 두드렸다. 의사는 수술실 밖으로 나와 아버지를 부르더니 산모와 아기 중에 선택을, 이라고 말했다. 아버지는 생명은 모두 소중한 겁니다, 라고 진중한 목소리로 대답했다. 그게 무슨 말인지 알아들을 수 없었던 의사는 과감한 결단을 하지 못하고 탈진한 엄마 앞에서 너무 오래 망설였다. 동생은 살고자 하는 의지가 강한 아기였다. 이 킬로그램도 안 되었던 그애는 괴로운 울음을 터뜨리며 밖으로 나왔다. 엄마는 의식을 잃고 꽤 오랫동안 깨어나지 못했다.

병원생활은 육 개월이 넘게 계속됐다. 아버지가 돈을 구하러 다니는 동안 나는 한 끼도 먹지 못할 때가 많았다. 아버지는 희멀겋게 부어오르는 내 얼굴을 보고 결단을 내렸다.

"잠깐 동안이야. 캠프에 간다고 생각해라."

나는 고아원에 맡겨졌다. 달리 보낼 곳이 없었던 아버지의 사정을 이해했기 때문에 누구도 원망하지는 않았다. 다만 우리가 얘기했던 무도회와 진주, 나이트 드레스는 점점 더 희미하게 멀어져갔다. 산타클로스가 멀어지듯이, 비슷한 상실감이었다.

고아원에서 일 년을 지내고 다시 집으로 돌아왔을 때 엄마는 동생에게 젖을 먹이느라 나를 안아주지 못했다. 아버지는 괜히 큰 소리로 웃으면서 나를 숨도 못 쉴 만큼 세게 끌어안았다.

"우리 공주님이 오니까 집이 다시 환해지네!"

엄마가 낯설어 보인 건 동생 때문만은 아니었다. 엄마의 얼굴은 자잘한 회색 점들로 가득 차 있었다. 그리고 특수분장을 한 배우처럼 살이 쪄 있었다. 마치 몸집이 두 배는 늘어난 것 같았다. 엄마는 웃어도 화가 난 사람처럼 보였다. 아버지가 두 달 전에 해고당했다는 걸 나는 그날 저녁에 알게 됐다.

"지금 데려오지 않으면 영영 못 데려올 것 같아서."

아버지는 내 짐이 든 가방을 내려놓지 못하고 고개를 숙였다. 엄마는 아무 말도 하지 않고 한숨을 쉬었다. 나는 잠든 동생의 얼굴을 내려다보며 딸꾹질을 참았다. 그날 밤 엄마는 누워 있는 내 옆에 와서 양말을 벗기고 한참 동안 내 발을 만졌다. 나는 발가락을 꼼지락거리고 싶었지만 엄마를 위해서 잠든 척했다.

공부를 한다고 했지만 내 성적은 시원치가 않았고, 동생은 뜻밖에도 수재였다. 엄마는 살이 빠지지 않았지만 별로 괘념치 않았다. 아버지는 다시 직장을 구할 수 없었다. 아파트의 경비직과 택시 운전, 구두 수선 같은 일들이 차선책으로 떠올랐지만 아버지는 그런 일들을 하기에는 너무, 섬세한 사람이었다. 엄마가 전화판매 일을 시작하자 우리는 그럭저럭 생활을 꾸려나갈 수 있었다. 이건 너무 절망적인 게 아닌가 싶을 때마다 동생이 전교 일등을 했다. 우리는 꿈꾸지 않았기 때문에 적당히 살아갔다.

154

매일 아침 아버지는 모차르트의 시디를 틀었다. 초라하고 복잡한 살림으로 가득 찬 열두 평짜리 임대아파트에서 미뉴에트의 선율은 늘 조금 어색하게 흘러나왔다. 아버지는 가벼운 리듬에 맞춰 고개를 까딱이면서 커피를 끓였다. 그리고 베란다의 창문을 힘껏 열어젖혔다. 열린 창 앞에서 눈을 감고 깊은 숨을 쉬는 것은 아버지의 오래된 버릇이었다.

"일어나요, 일어나."

아버지는 나지막한 목소리로 우리의 잠을 깨웠다. '강요는 아니야. 일어나지 않아도 괜찮겠지. 하지만 햇살이 이렇게 따뜻하게 비치는걸' 같은 식이었다. 아버지의 목소리는 배우의 저음처럼 멋진 데가 있어서 그건 또하나의 자장가가 되어 오히려 잠을 부르고는 했다. 그래서 더욱 이불 속으로 파고들면 아버지는 할 수 없다는 듯 웃었다. 동생은 새벽같이 일어나서 책상 앞에 앉아 있곤 했으므로 언제나 늑장을 부리는 사람은 엄마와 나뿐이었다.

"정말 안 일어날 거야?"

아버지는 엄마와 나를 일으켜세워 앉히고는 가볍게 간지럼을 태웠다. 엄마는 밤새 드잡이를 한 사람처럼 헝클어진 머리로 비몽사몽간에 아버지를 쳐다봤다. 그때마다 나는 잠에서 번쩍 깰 수밖에 없었다. 엄마의 모습은 같은 여자가 보기에도 괴로운 부분이 있었다. 나는 매번 죄책감을 느끼면서 아버지를 바라봤다.

"일어나야지, 이 사람아."

아버지가 등을 툭툭 두드리면 엄마는 비틀거리며 자리에서 일어났다. 엄마는 한숨을 내쉬고 화장실로 가서 문을 슬쩍 밀고 소변을 봤다. 변기에 앉아 있는 엄마의 멍한 표정이 밖에서도 보였다. 아버지는 계란프라이를 공중에 띄웠다가 미뉴에트의 리듬에 맞추어 사뿐하게 프라이팬에 받아냈다.

"오늘 상인이 학교에 갈 건가?"

"그러려고 해요."

엄마는 식탁 의자에 앉아 눈썹을 그렸다.

"무슨 일이 있는 건 아니겠지?"

아버지가 낮은 목소리로 물었다. 엄마는 고개를 저었다.

"아마 대입 상담 때문일 거예요."

"응."

아버지는 뭔가를 골똘히 생각하는 표정으로 벽에 걸린 동생의 교복을 바라봤다.

동생은 얼마 전에 학교를 옮겼다. 전학 오기 전 학교에서는 지독한 따돌림을 당했다. 상황이 최악으로 치닫기까지 동생은 조금도 내색을 하지 않았다.

그애가 공중목욕탕에 가지 않겠다고 두 손을 부들부들 떨었을 때 이상하게 여긴 아버지는 방에 들어가 완력으로 동생의 옷을 벗겼고, 방에서 나오자마자 엄마와 함께 경찰서로 갔다. 잡혀온 애들은 자기들이 상인이를 고문하기 위한 '기구'까지 발명했다

156

고 순순히 털어놓았다.

아버지는 동생을 병원에 보내야 한다는 학교측의 권유를 거절했다. 대신 동생이 갖고 싶어했던 삼천 피스짜리 모형 비행기 조립세트를 구해왔다. 상인이는 한 달 동안 방에 처박혀 비행기 조립에만 매달렸다. 실제 비행기를 탔으면 지구를 열 바퀴는 돌고 올 시간이었다. 조립 비행기가 날개를 기울이며 하늘로 날아올랐을 때 동생은 자리에서 일어났다.

"다시 학교에 갈래?"

동생은 아무 대답도 하지 않았다. 그저 구부정하게 어깨를 기울이며 책가방을 들어올렸다. 가끔 악몽을 꾸는 것처럼 보였지만 그때도 그애는 눈을 깜빡이다가 다시 누워 잠이 들어버렸다. 동생은 복잡하게 엉킨 것들을 애써 들여다보지 않으면서 시간이 흐르기만을 기다렸다.

아버지는 출근 준비를 마친 엄마의 옷차림을 망설이듯이 훑어봤다.

"다른 옷은 없을까?"

엄마는 매일 유니폼처럼 입고 다니는 베이지색 정장 차림이었다. 여기저기 보풀이 일어난데다 목 주위가 늘어난 블라우스에는 붉은 얼룩이 묻어 있었다. 엄마는 힘겹게 허리를 굽혀 스타킹을 신으며 숨을 몰아쉬었다.

"귀찮은데."

아버지는 묵묵히 밥을 먹는 동생에게 국을 한 그릇 더 떠주고 안방으로 가서 밤색 머플러를 꺼내왔다. 지난 엄마 생일에 아버지가 선물한 것이었다. 아버지는 스카프를 엄마의 목에 둘러줬다. 엄마는 좀 불편하다는 듯이 고개를 이리저리 움직였다.

"다녀오겠습니다."

동생이 학교로, 내가 아르바이트를 하는 가게로 나설 때면 아버지는 하던 일을 멈추고 현관으로 나왔다. 엄마는 언제나 뒤늦게 허둥대면서 우리를 따라나왔다. 아버지는 우리에게 매일매일 용돈을 줬다. 나는 그게 언제나 부족했고, 동생은 한 푼도 쓰지 않아 쌓이는 편이었고, 엄마는 돈을 남겨 과일이나 간식을 사왔다. 우리집의 가난은 교묘해서 위장하려면 얼마든지 위장할 수 있지만 정작 그 안을 들여다보면 아무것도 들어 있지 않은 빈 항아리 같은 것이었다. 그래서 간혹 더욱 쓸쓸한 기분이 들었다.

가게의 형광등 스위치를 올리자 진열장의 불빛이 일제히 보석들을 비췄다. 대입시험을 끝마치자마자 나는 모조보석을 취급하는 액세서리 전문점에서 아르바이트를 시작했다. 대학에 다닐 마음 없이 시험을 치렀던 것처럼, 아르바이트를 시작할 때도 앞으로의 계획 따윈 없었다. 사장은 개인 사무로 바쁜 사람이었다. 그는 내게 가게 열쇠를 던져준 뒤 며칠에 한 번씩 가게에 들렀다. 나는 온종일 에프엠을 들으면서 밥을 시켜 먹고, 빈 가게 안을 어슬렁거렸다.

158

낮에는 오가는 손님이 없어 늘 혼자 가게를 지켰다. 나는 미지근한 커피를 마시며 바깥의 풍경을 바라보곤 했다. 해가 쨍빛나고, 바람이 불고, 나뭇잎이 움직이고, 붉게 노을이 지고, 하늘이 점차 어두워지는 장면들. 생각해보면 꼭 그만큼이 내 이십대의 값인 것 같았다.

저녁이 가까워오면 직장인들과 여대생들이 가게에 들어오기 시작했다. 나는 스탠드 뒤쪽에서 각도를 달리하며 거울을 비춰주고 거스름돈을 내주었다. 가게에서는 만원 한 장이면 루비 목걸이 세트를 살 수 있었다. 가끔 '이거 진짜인가요?'라고 물어오는 사람도 있었다.

손님 몇 명이 몰려가고 난 저녁 무렵, 어디선가 톡톡 창 두드리는 소리가 들렸다. 고개를 돌려보니 엄마가 유리벽 밖에서 검은 봉지를 마구 흔들어대고 있었다.

"오늘은 기분이 좋아서."

엄마가 가게에 들른 것은 그때가 처음이었다. 엄마는 나의 퇴근시간을 기다렸다가 함께 가게 셔터를 내렸다. 늦은 저녁의 길가는 지나가는 사람 하나 없이 한적했다. 가로수 한쪽에 수영장 셔틀버스가 멈춰 서더니 샌들을 신은 여자애들이 내려섰다. 여자애들은 우리를 앞질러 뛰어갔다. 허공에 샴푸 향기가 가득히 퍼졌다.

"딸, 스무 살인데 아까워서 어떡하지."

엄마가 한참을 걷다가 말했다. 뭔가 웃긴 얘기를 하고 싶었지만 나는 그런 쪽으로는 원래 소질이 없었다. 그래서 그냥 자그마하게 아니야, 하고 중얼거렸다. 엄마의 낡은 구두 굽이 땅에 끌리는 소리가 들렸다.

저녁에 엄마는 피가 뚝뚝 떨어지는 돼지고기를 구워댔다. 우리 가족은 입을 크게 벌리고 쌈을 싸서 먹었다. 아버지는 몇 번이나 수건으로 이마를 닦았다.

"오늘은 일찍 자거라."

아버지가 말하자 동생은 네, 하고는 거실 한쪽의 책상 앞에 앉아 스탠드를 밝혔다. 자기 몫의 방이 없는 동생은 늘 거실 구석 의자에 등을 기대고 책을 읽었다. 그애는 도수가 높은 안경을 치켜올릴 때에만 미간을 찌푸렸다.

엄마는 커다란 러닝셔츠를 입고 선풍기 앞에 앉아 있었다. 얇은 옷자락이 선풍기 바람을 따라 엄마의 늘어진 가슴에 가 닿았다. 드라마를 보는 엄마는 무표정했다. 아버지는 걸레로 바닥을 꼼꼼히 닦은 후에 안방으로 들어가 양말을 벗었다. 아버지의 발목은 내 팔목보다도 가느다랬다. 나는 좁은 집 안을 서성거리다 방으로 들어갔다. 문을 닫고 누우니 공기가 몹시 후덥지근했다. 안방에서 새어나오는 여배우의 웃음소리가 귓가에 웅웅거렸다.

더위에 뒤척이다 새벽 늦게 잠들었던 나는 억지로 눈을 떴다. 아침부터 매미들이 유난스럽게 울어대고 있었다.

160

"지겨워, 정말!"

소리를 지르며 밖으로 나오자 상인이가 나를 쳐다봤다.

"나무에 약이라도 뿌리지. 시끄러워서 살 수가 없잖아."

"조금만 참아."

동생은 현관문 앞에서 신발을 신으면서 말했다.

"가을이 오면 다 사라져버리고 없을걸."

아버지보다 더 키가 자란 상인이는 문을 열고 나갔다.

오랜만에 가게에 나온 사장은 장부를 정리하면서 '오늘은 일찍 들어가도 좋다'며 등을 떠밀었다. 사람 좋게 웃는 사장 앞에서 나는 어리둥절한 기분으로 거리 위로 떨려나왔다. 문을 나서자마자 햇빛이 날카롭게 눈을 찔렀다.

피시방에 들어갔지만 채팅창에 접속한 사람이 아무도 없었다. 친구들은 모두 이름도 낯선 지방 대학에 흩어져 있었다. 나는 휴대폰을 꺼내 만지작거리다가 피시방을 나왔다.

오후 두시였다. 집 앞 골목길은 한 장의 사진처럼 고요하기만 했다. 공터에 낡은 탁자가 하나 버려져 있는 게 보였다. 나는 무심코 그 옆을 지나다가 손등을 긁혔다. 집에 들어오자마자 빛바랜 청바지를 벗고 파자마를 입었다.

가족들이 없는 시간에 아버지는 더 분주했다. 빨랫감을 두 차례로 나눠 삶고, 집 안 곳곳을 쓸고 닦은 후, 요리책을 보며 새로운 반찬을 만들었다. 화분에 물을 주고 있던 아버지는 거실에 앉아 있는 나를 흘금흘금 바라보더니 가까이 다가왔다.

"모처럼 쉬는데 친구들이랑 만나지 않니?"

나는 고개를 저으며 두꺼운 패션잡지를 첫 장부터 꼼꼼히 읽어나갔다. 아침부터 하늘이 흐렸지만 비는 내리지 않았다. 대기에서 훈훈하고 촉촉한 기운이 나른하게 떠다녔다. 아버지는 발목을 주무르며 베란다 문턱에 앉아 창밖을 바라보고 있었다.

"아버지!"

연신 불러도 답이 없던 아버지는 내가 목소리를 높이자 뒤늦게 나를 뒤돌아보았다. 아버지가 겸연쩍게 웃을 때 눈가의 자잘한 주름들이 드러났다가 사라졌다.

엄마는 그날 많이 늦었다. 아버지는 술에 취해 흐느적거리는 엄마를 현관에서 부축했다.

"오늘 새로 오신 소장님 때문에 회식이 있었어요. 미안."

엄마는 거울 앞에서 양치질을 했다. 부스스한 머리카락을 하나로 묶은 엄마의 목덜미가 불그레했다. 동생이 학교에서 돌아오자 아버지는 거실의 커튼을 내렸다. 좁고 어두운 거실 한쪽에선 엄마는 동생이 공부하는 모습을 물끄러미 보다가 방에 들어갔다.


엄마의 일과란 하루 종일 삼면이 막힌 책상 앞에 앉아서 낯선 사람들에게 전화를 거는 것이었다. 회사의 주력 상품은 캡슐형 비타민과 내비게이션 시스템이었다. 생각하기에 따라서 필수품일 수도 있었는데, 대개의 사람들은 이야기를 시작하기도 전에

162

전화를 끊어버렸다. 간혹 엄마는 나와 통화를 하다가 갑자기 물건을 파는 시늉을 했다. 그럴 때는 상사가 엄마 옆에 서서 그녀를 예의주시하고 있다는 뜻이었다. 엄마의 불안한 소프라노 톤을 가만히 듣고 있노라면 과연 이런 식으로 물건을 사는 사람이 몇이나 될까 의문이 들었다. 엄마의 세일즈 실적 때문에 우리집 구석에는 어디에나 비타민 상자가 쌓여 있었다.

새로 온 소장은 우연찮게도 엄마와 초등학교 동문이라고 했다. 그즈음 어떤 일에도 표정이 없던 엄마는 아주 재미있는 일이라도 되는 것처럼 몇 번이고 내게 그 이야기를 했다. 거절당하는 것을 직업으로 삼은 뒤 서서히 소모되어온 엄마는 오랜만에 두 볼이 패도록 미소를 지었다.

그날 새벽, 나는 물을 마시러 나왔다가 엄마가 부엌에 있는 것을 보았다. 엄마는 희미하게 불빛을 밝힌 식탁 앞에서 고개를 숙이고 있었다. 둔중한 뒷모습에 비해 엄마의 목은 가늘고 길었다. 엄마는 초등학교 졸업앨범을 유심히 보고 있었다. 나는 조용히 문을 닫았다. 막 잠이 들려고 하는데, 창밖에서 무언가 부서지는 소리가 들렸다. 공터의 버려진 탁자가 떠올랐다. 한참이 지난 뒤에 거리에서 숨을 몰아쉬는 소리가 들렸다.

그날 밤 이후 엄마는 자주 뭘 잊어버린 사람처럼 화들짝 놀랐다. 새벽에 일어나 한참 동안 긴 샤워를 했고, 젖은 머리로 옷장 앞에 서서 삼십 분이 넘도록 옷을 바꿔 입었다. 엄마는 갑자기 두 층위로 나뉘어버린 사람처럼 보였다. 무척 다정했다가도 갑자기 신경질적으로 변하곤 했다.

엄마는 아침 내내 별로 다를 것 없어 보이는 낡은 바지와 블라우스를 입고 벗었다. 아침식사를 끝내면 다시 한번 안방 거울 앞에 섰고, 두 켤레밖에 없는 구두를 꺼내 한 번씩 바꿔 신었다. 아버지는 립스틱을 바르는 엄마를 보고 웃었다. 엄마는 계절이 바뀌니까요, 라고 자그맣게 중얼거렸다.

기온이 오르면서 주위의 모든 것이 열기에 어른거렸다. 사람들이 걸어다니는 회색 도로도, 나를 툭툭 치는 손님들의 손길도, 누군가 떠들어대는 소리도 끈적끈적하게 늘어난 것처럼 느껴졌다. 아버지는 창가에 턱을 괴고 하염없이 앉아 있는 나를 위해서 라디오를 틀어주었다. 아버지는 기타 소리를 통통거리는 어느 라틴재즈 밴드의 음악을 좋아했다.

"이 사람들한테 노래는 돈을 벌기 위한 것도 아니고 직업도 아니야. 사실 그건 음악도 아니고 뭣도 아니지. 이 사람들은 그저 아침부터 저녁까지 노래를 부르고 춤을 출 뿐이야. 아무런 목적이나 가치 없이 말이다. 그래서 이렇게 아름다운 거야."

동생은 모아둔 지폐를 몇 장 가져가서 재즈밴드의 시디를 사왔다. 동생이 가방에서 부스럭거리며 시디를 꺼냈을 때 아버지는 잠깐 숨을 멈췄다. 아버지는 매일 소중하게 그 음악을 들었다.

엄마와 아버지는 서로를 이해하지는 못했지만 존중하고 있었다. 나는 그런 부부관계가 나쁘지 않다고 생각해왔다. 하지만 그

164

계절엔 어딘가가 조금 어긋나 있었다. 엄마는 뭔가에 홀린 사람처럼 발걸음에 무게가 없어졌다. 엄마가 날마다 늦었기 때문에 아버지는 동생이 들어온 뒤에도 문을 잠그지 못했다.

"누나."

어느 날 집에 돌아온 동생은 가방을 내려놓지도 않고 현관에서 나를 불렀다. 어린아이처럼 들리는 목소리에 흠칫 놀란 나는 동생을 바라보았다.

"왜?"

"저기, 바깥에 엄마가 어떤 남자 차 안에 있는데…… 꼭 싸우는 것처럼 보였어."

"……"

"아닐 수도 있는데, 나는 멀리서 보기만 했거든."

"회사에서 아는 분이겠지. 얼른 씻기나 해."

동생은 고개를 주억거리며 신발을 벗었다. 잠시 후에 엄마가 들어왔다. 아버지는 말없이 베란다의 빨래를 걷어냈다.

엄마가 할인매장에서 사온 노란색 투피스를 보고 나는 작게 한숨을 쉬었다. 엄마의 움직임은 어떤 파장 같았다. 그즈음 엄마는 뭔가를 열심히 쫓아가는 것 같기도 하고 뭔가에 끝없이 쫓기는 것 같기도 했다. 엄마는 아주 피곤해 보였다. 그녀는 매일 기록을 경신하듯이 더욱 늦게 돌아왔고 어느 날은 울었던 게 분명한 눈으로 곧장 화장실로 들어가 문을 닫았다.

며칠 뒤 저녁, 사장의 심부름으로 갔던 거래처 부근에서 나는 엄마를 만났다. 엄마는 비슷한 차림의 아주머니들 틈에 서 있었다. 그래서 얼른 엄마를 알아보지 못했다. 요란스러운 목소리로 떠들어대는 아주머니들 사이에는 남자도 한 명 끼어 있었다. 남자는 뒤로 빗어넘긴 머리에 말끔한 양복을 입고 있었다. 그가 무슨 말을 할 때마다 아주머니들이 함께 와아, 웃었다.

엄마는 조금도 웃지 않았다. 노란색 투피스를 입은 엄마는 혼자 입을 꽉 다물고 서 있었다. 엄마의 새로 한 파마머리가 유난히 고불거려 보였다.

그날 나는 거래처 앞에서 주문서를 잃어버려 그만 돌아올 수밖에 없었다. 집 안은 무척 조용했다. 아버지는 바둑판 앞에 앉아 있었다. 혼자 흰 돌과 검은 돌을 하나씩 놓는 아버지를 지나서 방으로 들어간 나는 그대로 잠이 들어버렸다.

휴가철을 앞두고 목걸이 판매량이 많아지면서 일주일에 한 번씩이던 사입이 두 차례로 늘었다. 공장에서는 이교대를 시작했다고 했다. 모조보석은 대개 2100°C 이상의 고열에서 만들어진다. 원료를 녹여서 결정화시킨 뒤 냉각과정을 거치는 것이다. 물건이 들어오는 날에 가게는 유난히 복잡하고 시끄러웠다. 보석을 손에 쥐어보면 그 속에 뜨거운 불길이 갇혀 있는 걸 느낄 수 있었다.

집에 돌아오자 현관에 낯선 사람의 구두가 눈에 띄었다. 나를 보고 어색하게 웃는 그 여자는 엄마 회사의 동료였다. 나는 작

166

게 목례를 하고 방으로 들어갔다.

"이상한 소문이 돌고 있어요. 그……"

꼼짝 않고 침대 위에 앉아 있으니 밖에서 말하는 소리가 모두 새어들어왔다.

"……날마다 사무실에 남아서 소장님을 기다리고 있으니까요. 소문 때문에…… 소장님도 아주 곤란하신 눈치예요."

"……예."

"상인이 아빠가 잘 얘기해봐요. 무슨 큰 허물이 되는 거라면 내가 이렇게 와서 말 못 하지. 내 마음 알죠?"

인사말이 몇 번 더 오가고 여자는 떠났다. 집 안이 너무 조용해지자 갑자기 걱정이 된 나는 우당탕 소리를 내며 방문을 열었다.

"깜짝이야."

현관 앞에 쪼그려앉아 있던 아버지는 화들짝 놀라 주저앉았다. 아버지는 신발을 닦고 있었다. 가족들의 몇 켤레 안 되는 구두들을 꺼내서 일렬로 늘어놓은 아버지는 아주 꼼꼼히 정성을 들여 윤기를 냈다.

"이것 봐라, 새것 같지."

대답을 바라지 않는 그 한마디를 하고 아버지는 침묵 속에서 계속 구두를 닦았다.

집에 돌아온 엄마는 그대로 흘러내릴 것처럼 녹초가 되어 있었다. 아버지는 엄마와 형식적인 말을 몇 마디 나누고 집 안의 불을 모두 껐다. 아버지는 화가 나 있었다. 엄마도 그걸 알고 있었을 것이다.

　아침 식탁 앞에 앉은 나는 연신 다리를 떨어대고 있었다. 아무도 말을 꺼내지 않아 조용한 가운데 상인이가 벌떡 일어나서 텔레비전을 켰다. 여름휴가의 후유증과 직장인들의 인터뷰가 나오고 있었다. 바다와 파도, 비키니, 얼음셰이크가 둥둥 떠다니는 화면이 이어졌다.
　"저녁에 많이 힘들지? 피곤할 텐데 버스나 지하철엔 자리 하나 없고."
　화면을 바라보던 아버지가 엄마를 향해 조용히 물었다.
　엄마는 고개를 저었다.
　"아니에요, 뭐."
　엄마는 시선을 돌리고 음식을 꼭꼭 씹었다. 그들 사이에 침묵이 흘렀다. 엄마는 다시 밥을 떠서 입에 넣었다. 아버지는 엄마의 손을 내려다보다가 문득 말했다.
　"미안해."
　엄마는 고개를 들어 아버지를 쳐다봤다. 짧은 순간 두 사람의 눈이 마주쳤다. 아버지는 엄마의 어깨를 한번 만지고 일어나 식탁을 치웠다.
　엄마가 먼저 집을 나간 뒤, 아버지는 동생에게 '이제 너는 버스를 타고 다녀야겠다'고 말했다. 동생은 몇 년 동안 자전거로

168

등하교를 하고 있었다. 자전거 열쇠가 동생의 손에서 아버지의 손으로 넘어갈 때 쨍, 울리는 맑은 소리가 났다. 동생이 자전거를 집으로 끌고 들어오자 아버지는 베란다에 앉아서 뭔가를 두드리고 이어붙이기 시작했다. 나는 거실에 서서 오랫동안 그걸 바라봤다.

"십 퍼센트 보너스야. 이번 달엔 정말 고생 많았어."

사장은 봉투 두 개를 같이 내밀었다. 백화점에 간 나는 잡지에서 봤던 청바지들을 차례로 입어봤다. 뒷주머니에 날개가 그려진 청바지들은 옆선이 미끈했다. 나는 그 모습을 몇 번씩 거울에 비춰봤다. 옆에 선 점원이 커다란 가방을 내밀었다.

"청바지를 구입하시면 대용량 여행가방을 드려요."

내가 들어갈 수도 있을 것 같은 크기의 가방이었다. 나는 가방 안의 시커먼 공간을 한참 동안 들여다보았다.

그날 저녁, 아파트 계단을 올라가다가 나는 이상한 소리를 들었다. 무언가가 바닥에 끌리고, 텅텅 튕기고 끼익끼익거리는 소리였다. 소리가 가까워지더니 아버지의 얼굴이 나타났다. 자전거를 끌고 나온 아버지는 엘리베이터가 없는 아파트의 계단을 힘겹게 하나씩 내려오고 있었다. 다리를 절룩거리며 좁은 복도를 내려오는 아버지의 얼굴에 땀이 비 오듯 흘렀다. 내가 다가서서 받아들려 하자 아버지는 괜찮다며 손을 내저었다.

"어딜 가시려고요?"

아버지는 말이 없었다. 나는 엉거주춤 그의 뒤를 쫓아내려갔다. 한참 동안 계단을 내려온 아버지는 도로 위에 섰다.

작은 보폭으로 아버지를 따라온 나는 숨을 죽이고 그를 바라보았다. 아버지는 한 발을 페달 위에 올리고 바퀴를 굴리면서 땅을 훌쩍 디뎌 운전석에 앉았다. 시험하듯 아파트 앞 놀이터를 한 바퀴 돈 아버지는 우두커니 서 있는 내게 손을 흔들면서 시야에서 사라졌다. 일인용이었던 동생의 자전거에는 보조석이 새로 장착되어 있었다.

아버지의 자전거를 지금처럼 뒤에서 한참 바라봤던 적이 있었다. 오래 전, 내가 고아원에 있었을 때. 그 시절 아버지는 일주일에 한 번씩 나를 찾아왔다. 고아원에 있는 애들은 모든 부모들이 그렇게 찾아오다가 점차 횟수가 뜸해지고 결국은 연락을 끊어버린다고 일러주었다. 나는 언제나 아버지를 보는 건 이게 마지막이 아닐까 조마조마했다.

아버지는 매주 수요일에 나를 만나러 왔다. 애들은 아버지가 올 것인지 오지 않을 것인지 내기를 걸었다. 나는 늘 허세를 부리듯이 내깃돈을 높였다. 수요일 오후가 오면 나는 철창으로 된 정문에 이마를 기대고 서 있었다. 나는 일부러 머릿속으로 복잡한 암산을 맹렬하게 해댔다. 다리를 떨면서 엉터리 숫자를 계산하고 있노라면 어느 순간 먼 허공에서 검은 점이 나타나고, 그게 점점 위로 올라오고, 남자의 머리가 되고, 아버지의 얼굴이 되고, 달리는 자전거가 되어서 가까워졌다. 아버지는 멀리서 노

170

래처럼 내 이름을 불렀다.

아버지는 늘 자전거의 바구니에 초코볼 두 봉지를 넣어왔다. 그리고 그 한 봉지를 내가 다 먹을 때까지 옆에서 날 보고 서 있었다. 나는 아버지가 내 옆에 있는 것을 모두가 볼 수 있도록 초코볼을 혀 위에서 천천히 녹여 먹었다.

아버지는 엄마와 동생이 어떻게 지내고 있는지, 경과가 어떤지 아주 자세하게 얘기해줬다. 크리스마스 주간에는 초코볼과 함께 작은 상자가 함께 왔는데, 아버지는 그걸 단단히 봉해서 이브 날 열어야만 한다고 약속을 받았다.

그날 밤, 안달이 난 나는 몰래 잠자리에서 일어났다. 아이들이 모두 잠들어 있었기 때문에 주위가 몹시 조용했다. 사물함까지 소리없이 기어간 나는 아버지의 상자를 꺼냈다. 기대감 속에서 상자를 열어본 나는 눈을 깜빡거렸다.

상자 속에는 종이인형이 가득 들어 있었다. 선을 따라 깨끗이 오려진 인형과 드레스들. 금발머리 공주의 납작한 몸과 파티용 모자, 비즈가 달린 수십 벌의 원피스, 핸드백 들. 그 속에 담겨 있던 눈부심과 사각거림을 나는 아직도 기억하고 있다.

아버지가 자전거를 타고 신나게 달릴 때 어린 나는 아무것도 부끄럽지 않았다. 그럴 때 아버지는 장애가 없는 것 같았기 때문이다. 아버지가 어렸을 때 찾아온 고열과 마비, 다리가 뒤틀려 짝짝이 구두를 신는 것을 누구도 알 수 없었다. 아버지는 묘기를 부리듯이 손을 놓고 페달을 굴렸다. 그리고 쌩쌩, 신나게 달렸다. 자전거 위에서 아버지는 균형을 잘 잡았다.

　나는 아버지가 긴긴 도로를 지나, 사람들로 붐비는 거리 사이를 빠져나가 엄마에게 가 닿는 모습을 충분히 머릿속에 그려볼 수 있었다. 밤공기는 시원하고 청명해서 아버지가 깊은 숨을 쉬기에도 적절할 것이다. 아버지는 눈을 감고 깊은 숨을 쉰다. 그러면 모든 것이 무한한 공기중으로 빠르게 분산되어 흩어지고, 오래된 지구의 단단함이 아버지를 위로해줄 것이다.

　엄마를 데리러 간 아버지는 절대로 자전거에서 내리지 않을 것이다. 엄마는 아버지를 보고 놀라겠지만 결국 말없이 그 뒤에 앉을 것이다. 집으로 돌아오는 동안 엄마는 결국 아버지의 허리를 잡고 아버지의 등에 머리를 기대게 될 것이다. 엄마는 너무 지쳤기 때문이다. 엄마는 땅 위에서 다리를 까딱거려도 괜찮다. 자전거 위의 아버지는 웬만해서는 쓰러지지 않으니까.

　창밖은 점차 어두워져 앞이 잘 보이지 않았다. 나는 집 안의 불을 환하게 밝혔다. 상인이의 책상 앞을 지나갈 때 조립식 비행기가 내 앞으로 가볍게 떨어졌다. 떨어질 때의 충격으로 비행기의 날개 한쪽이 부러져 있었다. 접착제도 없이 작은 조각들을 이어 만드는 그 조립식 비행기는 쉽게 망가졌지만 이어붙이면 금세 다시 날아올랐다. 나는 비행기를 주워 동생의 참고서 위에 사뿐히 올려놓았다.

　시간이 지나 집에 돌아온 엄마와 아버지는 코 아래가 검게 변해 있었다. 내가 어, 하고 소리를 지르자 엄마는 중얼거리듯 말했다.

"매연이 너무 심하잖아."

엄마의 볼은 저녁 바람에 발갛게 상기돼 있었다. 아버지는 싱겁고 뜨거운 된장찌개를 끓였다. 동생이 돌아와서 신발을 벗자, 낡은 여덟 개의 구두가 나란히 긴장을 풀었다.

연속극이 시작될 때 엄마가 수박을 잘라왔고 아버지는 공과금 영수증을 정리해서 가계부에 붙이며 수박을 먹었다. 동생과 나는 설거지를 마치고 와서 두 사람 옆에 앉았다. 우리는 두 손 가득 수박 조각을 들고 먹었다. 모두 말없이, 열심히 수박을 먹었다. 엄마의 귓가에 땀이 흐르는 것이 보였다.

그날 이후 아버지는 매일 엄마를 데리러 갔다. 자전거는 엄마를 태우고 혼잡한 거리를 가로지르며 달렸다. 아버지는 흔들림 없이 자전거를 운전했다. 나는 엄마를 위해 사파이어 반지를 준비했다. 반지가 조금 작았지만 엄마는 그것을 손에서 빼지 않았다. 동생은 언제나 홀로 책을 읽었다. 그것이 그에게는 가장 평화로운 것이었으므로, 누구도 그를 방해하지 않았다. 나는 나만의 모조보석 가게를 갖게 될 때까지 좀더 낡은 청바지를 입기로 했다. 다만 자존심이 상하지 않도록 붉은 징이 달린 벨트를 맸다.

여름은 시간이 멈춰버린 듯했지만 어느 순간 참았던 숨을 내쉬듯 가을이 왔다. 나는 문득 눈을 뜨고, 매미의 울음소리가 멎었음을 깨달았다.

아버지가 좋아하는 라틴재즈 밴드는 춤곡을 부르는 사람들이었지만 우리는 쑥스러워서 춤 같은 건 나서서 추지 못했다. 우리는 그런 사람들이었다. 그래도 아버지가 운전하는 자전거, 그 뒤에 앉은 엄마를 떠올릴 때면 나는 그게 아주 균형 잡힌 춤처럼 느껴졌다.

아버지가 그려준 호숫가의 고성은 그뒤에도 결코 나에게 해당되지 않는 것이었다. 그래도 나는 그걸 아주 소중하게 간직하고 있었다. 아버지의 유일한 유산으로. 품위에 대해서라면, 언제나 아버지는 옳았다.

# 천막에서

나는 잠이 오지 않을 때 내가 좋아하는 것들을 생각해. 가령 색과 같은 것들, 지어낸 이야기들, 상상 속의 감정들, 너에 대한 꿈들. 아무리 되풀이해도 반복되지 않는, 끝나지 않는 음악들.

'잠이 오지 않을 때가 있잖아? 그럴 때 남들은 숫자를 센다고 하는데, 나는 그게 잘 안 되더라. 잠이 오려면 먼저 의식의 경계가 흐릿해져야 하잖아. 그런데 숫자라는 건 내게 아무 흥미도 불러일으키지 않아서 나는 그걸 길게 바라볼 수가 없단 말이야. 숫자는 그 좁고 가파른 경계를 따라서 내 정신을 점점 더 또렷해지게 만들 뿐이야. ……우리는 무엇이든 사랑하는 만큼만 인식할 수 있어. 나는 잠이 오지 않을 때 내가 좋아하는 것들을 생각해. 그것들은 대개 존재하지 않는 것들이야. 가령 색과 같은 것들, 지어낸 이야기들, 상상 속의 감정들, 너에 대한 꿈들. 아무리 되풀이해도 반복되지 않는, 끝나지 않는 음악들.'

잠에서 깬 나는 눈을 깜빡인다. 어두침침한 방 안에 천장이 희뿌옇게 보인다. 나는 제일 먼저 손을 뻗어 휴대폰을 붙잡는다. 고인 물 같은 화면. 그 안을 한참 들여다본 나는 자리에서 일어난다.

샤워기의 물은 뜨겁거나 차갑기만 하다. 온도를 조절하기 위해 레버를 툭툭 치다가, 문득 이곳 통신사에 뭔가 오류가 있는 게 아닌가 하는 생각을 한다. 한국에서 걸려오는 전화를 제대로 수신하지 못하는 게 아닐까. 하지만 집으로부터 온 전화는 한 통도 빠지지 않고 연결됐다. 국제전화를 처음 걸어본 아버지는 고함을 지르듯 큰 소리로 당부했다. '앞줄에도 뒷줄에도 서지 말거라!' 깜빡이던 눈 속에 비눗물이 들어온다. 더듬더듬 손을 내민 나는 뜨거운 수도관에 팔을 덴다. 욱신거리는 팔을 붙잡고 서 있자 곧 소름끼치게 차가운 물이 떨어진다.

공장으로 둘러싸인 기숙사 주변은 늘 공기가 흐리다. 나는 운동화 끈을 조이고 현관 앞에서부터 가볍게 달리기 시작한다. 조깅코스는 생산A동에서 E동까지 이 킬로미터쯤 되는 길이다. 회색 건물을 끼고 달리다보면 지난밤의 날카로웠던 생각들이 무뎌진다. 코스를 두 바퀴 돌았을 때 멀리서 작업복을 입은 공원들의 무리가 출근하는 것이 보인다.

매일 아침 수만 명의 중국인들이 공단의 사거리를 오간다. 똑같은 유니폼을 입은 사람들이 길마다 꽉꽉 빈틈없이 들어차는 것이다. 처음 중국에 도착했을 때는 그 풍경이 얼마나 신기했는지 철새나 개미떼가 나오는 다큐멘터리 화면을 보고 있는 기분이었다. 화장기 없는 중국 여자들은 큰 소리로 웃고 떠들면서 공장의 검은 입구로 들어간다.

178

왁자지껄한 공장 입구와는 달리 기숙사 주변은 숨죽인 듯 고요하다. 나는 계단을 올라가다가 인기척을 느끼고 고개를 돌아본다. 겨우내 누렇게 변한 잔디와 키 작은 동백나무밖에, 그곳에는 아무도 없다.

공단의 한국인들에게 주말이란 별 의미가 없다. 쉬는 날에도 직원들은 고작 근처의 꼬치집이나 볼링장에서 시간을 보낼 뿐 주변을 벗어나지 못한다. 공단을 떠나 다른 도시로 가려면 차를 타고 나무 한 그루 없는 평야를 네 시간 동안 달려가야 한다. 사정이 그렇다보니 한국 직원들의 일주일에는 변화라는 것이 없다. 오직 날씨만 변덕이 심해 때때로 봄처럼 화창하다가도 갑자기 폭설이 내렸다. 사람들은 그것이 공단의 매연 때문일 것이라고 짐작하고 있다.

월요일, 과열된 난방으로 사무실의 온도는 조금 후텁지근하다. 순간, 그 공기를 찢어버리듯 날카로운 소리가 울린다.

"이 새끼가!"

책상을 마주한 박과 윤이 동시에 고개를 든다. 회장실 문이 열리더니, 상무가 끌려나온다. 회장은 시뻘건 얼굴로 상무의 멱살을 쥐고 흔든다.

"새끼가 누굴 호구로 알고!"

가까운 곳에 앉은 전무가 의자를 박차고 달려나간다. 그는 회장의 허리를 끌어안아 상무에게서 떨어뜨린다. 상무가 맥없이 바닥에 나자빠진다. 그의 오른쪽 뺨에 붉은 생채기가 보인다. 전무가 회장을 들어옮기다시피 해서 회장실로 들어가자, 상무는 천천히 바닥에서 일어난다.

"뭘 봐? 다들 일해."

그의 건조한 목소리에 사무실 안 오십여 명의 고개가 동시에 수그러진다.

회장은 오십대 중반의 왜소한 체격으로, 성미가 과격한 다혈질이다. 감정의 기복이 병적일 만큼 심한 그는 걸핏하면 임원들에게 폭행과 폭언을 퍼부어댔다. 다행이라면 일반 사원들에게는 아무 관심이 없어서 중국 직원과 한국 직원을 구별하지도 못한다는 것이었다. 처음에는 놀라서 입을 다물지 못했던 신입사원들도 이제 웬만한 소란에는 무심히 눈길을 돌렸다.

중국에 들어온 것은 육 개월 전의 일이다. '해외무역, 영어 능통자 모집.' 구인공고를 보고 원서를 넣으면서도 이곳에 합격되리라고는 생각하지 못했다. 대학 졸업 후 호수에 돌멩이를 던지듯이, 수십 개 회사에 원서를 넣고, 또 넣고, 다시 넣던 시기였다. 낙방이 반복되고 있었지만, 주위의 모두가 같이 미끄러지고 있었기 때문에 딱히 불행하다고는 느끼지 않았다. 서류가 통과되었으니 면접을 보러 오라고 연락이 왔을 때는 오히려 어리둥절한 기분이었다.

회사는 방수포를 생산하는 곳으로, 업계에서 제법 인지도를 갖춘 기업이었다.

180

"물량 면으로는 우리 회사를 따라올 데가 없지요."

한국 지사 사장은 반쯤 벗어진 대머리에 체구가 거인처럼 컸다. 발그레한 볼을 가진 그 남자는 머뭇머뭇 늘어지는 내 영어 발음을 마음에 들어했다. 나는 사무실 한쪽에 붙어 있는 방수포 샘플들을 바라보았다. 그것은 꼭 포장마차의 비닐과 같은 질감이었다.

"중국에 본사가 있다는 건 알고 있겠지요."

그는 입사 후 일 년 동안 중국 본사에 근무하는 조건을 받아들일 수 있는지 물었다. 함께 면접을 본 여자는 마침 자신의 언니가 중국에서 유학중이라고 고르지 못한 목소리로 말했다.

면접이 끝나고 자리에서 일어났을 때, 사장은 내게 다가오더니 곧 다시 보자는 말을 했다. 나는 집에 돌아오면서 중국에 대해서 생각해봤다. 꼭 가고 싶지는 않지만, 못 갈 이유도 없다는 생각이 들었다.

삼 주 후 나는 중국행 비행기를 탔다. 챙긴 것은 옷가방 두 개뿐이었다. 이 년간 타고 다닌 스쿠터와 전공원서 한 박스, 게임 시디는 모두 친구에게 넘겼다. 그녀가 맡기를 원치 않았기 때문이다. 가진 것을 모두 정리하고 텅 빈 옥탑방을 돌아봤을 때, 벽에 커다란 얼룩이 있는 걸 발견했다. 떠나기 전에 나는 그것을 손으로 짚어보면서 그녀에게 전화를 걸었다. 그녀는 전화를 받지 않았다.

"아무래도 감원이 있을 것 같아."

불판에서 그을린 양꼬치를 잡으며 윤이 말한다.

"수습 중에 한 명, 간부들 중에 한 명. 아까 임원회의 때 회장이 그렇게 말했대."

"레슬링은 한 판 더 없었고?"

박이 묻자 윤이 푸시시, 소리를 내며 웃는다. 나보다 일 년 앞서 입사한 박과 윤은 둘 다 중국에서 대학을 나왔다. 상해에서 공부한 윤은 성격이 밝고 외향적인 데 비해 북경에서 공부한 박은 진중하고 조용한 편이었다. 박은 두 살 된 딸을 둔 가장으로, 아내와 함께 회사의 가족 기숙사에서 지내고 있었다.

"그 사람들 회장한테 당하고 사는 거 보면 신기해."

박이 고개를 가로저으며 말한다. 창립멤버였다고 하는 회장과 다섯 명 임원들은 실로 기묘한 관계였다. 가족들을 유학 보내고 홀로 중국에서 살고 있는 그 늙은이들은 늘 어딘가 체념한 표정을 지으며 회사 안을 유령처럼 돌아다녔다. 임원들은 체격도 비슷해서, 멀리서 보면 자세와 눈빛, 생김새까지 닮아 보였다. 특히 회장에게 이리저리 차일 때 말없이 눈을 감아버리는 모습은 쌍둥이처럼 똑같았다.

"다들 여기서 뭐 하는 거야?"

짙은 향수 냄새와 함께 이팀장 특유의 콧소리가 들린다. 꼬치집의 대나무발을 젖힌 그녀는 우리를 둘러보더니 하이힐을 또각거리며 안으로 들어온다.

182

"나만 빼고……"

"모여서 온 게 아니라 와서 모였어요."

이팀장은 입을 삐죽거린다. 그녀는 마흔넷인 나이가 무색한 옷차림이다. 몸에 달라붙는 민소매 원피스에 연보라색 아이섀도를 바른 그녀는 다리를 꼭 붙이고 의자에 앉는다.

"아무려면 어때요, 지겹게 매일 보는 사람들끼리."

윤이 투덜거리며 술잔을 든다.

좁은 가게 안은 담배연기로 가득하다. 지친 표정의 한국인들은 몸을 구부정하게 말고 딱딱한 나무의자에 앉아 있다. 그들은 왁자하게 웃다가 한순간 웃음을 그치곤 한다. 천장에 달린 램프 불빛이 희미하게 깜빡거린다. 나는 가슴 안주머니에 작은 떨림을 느끼고 휴대폰을 꺼내본다. 액정화면은 아침과 변함이 없다. 나는 한 손으로 휴대폰을 꽉 붙잡는다.


회사에서 만드는 방수포는 생활용품과 구호용품으로 나뉘어 제작된다. 생활용품은 자동차와 야외수영장의 방수용 덮개로, 생산품의 대부분이 미국의 대형 마트인 W사와 거래되고 있다. 구호용품은 난민을 위한 주거용 천막으로, 국제기관과 구호단체가 주 고객이다.

미주무역팀에 속한 나는 영업업무 외에 W마트로 나가는 상품을 체크하고 수량을 조절하는 일을 한다. 공장 관리자와 W마트 관리자를 연결해주는 다리 역할인 셈이다.

하루에 출고되는 방수포의 수량은 사십 톤 트럭 열 대의 분량이다. 매일 수백 개 컨테이너에 담긴 방수포가 공장에서 W마트로 운송된다. 날마다 반복되는 그 풍경을 보고 있으면 신기하다는 생각이 든다. 대체 자동차와 수영장이 얼마나 빠르게 증식하고 있는 것인지 의문이 드는 것이다.

문득 잠자리에서는 숫자를 세지 않는다는 그녀의 말이 떠오른다. 대신 그녀는 나를 생각한다고 했다. 하지만 이제 그녀는 잠들어버린 것처럼 아무 말이 없다. 나는 그녀의 침묵을 이해할 수 없다.

이곳에 오기 전에 그녀와 나는 아무 매듭도 짓지 않았다. 우리는 평소처럼 뜨거운 찌개를 먹으러 갔고, 함께 컴퓨터게임을 했고, 창밖의 소음을 들으며 맥주를 마셨다. 나는 코앞에 닥친 중국행에 대해서 그녀에게 어떤 설명도 하지 않았다.

나는 그녀의 팔을 조심스럽게 만졌다. 거기에 오래 전 내가 만든 상처가 남아 있었다. 내가 그것을 좋아한다는 것을 알고 있었기 때문에, 그녀는 나를 내버려뒀다. 그녀는 아무것도 묻지 않고 내가 잠든 후에 떠났다.

예전에 나는 그녀가 하는 이야기를 듣다가 잠들곤 했다. 그녀가 내게 했으나 내가 듣지 못한 이야기들이 있었다. 나는 그녀가 떠난 후에야 그 사라진 말들을 알아차렸다. 하지만 떠올려보려 했을 때 그것들은 이미 다 흩어져버린 뒤였다. 이제 그녀는 내 옆에 없다.

184

방 안에서 다급하게 전화벨이 울린다. 조깅을 마치고 온 나는 휘청거리며 달려와 전화기를 든다.

"십 분 안에 사무실로 모여요."

다짜고짜, 이팀장의 목소리다. 맥이 빠진 나는 침대 위에 풀썩 앉는다.

"무슨 일입니까?"

"와보면 알아요."

"오늘 새벽에 출고가 있어서 그럴 여유가 없어요."

이 팀장은 날카롭게 숨을 내쉰다.

"W마트에서 재계약 안 하겠대. 오든지 말든지 알아서 해요."

잠에서 덜 깬 윤과 박이 회의실에서 이팀장에게 자초지종을 듣고 있는 동안 나는 서류를 천천히 읽어본다. 도매가격을 하향 조정하지 않으면 계약 연장을 할 수 없다는 짧은 내용이다. 나는 서류를 다시, 또다시 읽어본다.

"W마트 물량은 지금도 생산원가에서 적자를 감수하고 있어요. 더이상의 조정은 할 수 없습니다."

붉게 충혈된 눈으로 박이 말한다. 이팀장은 입술을 뜯으며 고개를 끄덕인다.

"하지만 다른 업체에서 더 낮은 가격을 제시할 수도……"

"그쪽에서 원하는 단가를 맞춰줄 데는 없을 겁니다."

윤이 인상을 찌푸리며 내 말을 가로막고 나선다.

"이윤 없는 일을 하는 기업이 어디 있습니까?"

그는 가격조정은 논의거리가 아니라는 듯, 서류를 탁자에서 밀쳐낸다. 회의실 바깥에서 검은 눈동자가 안쪽을 흘금거리고 있는 게 보인다.

"재수 없는 새끼."

윤이 중얼거린다. 그것은 구호무역팀 팀장인 로미오의 눈동자다. 회사에서 유일한 중국인 팀장인 로미오는 공장 직공으로부터 시작해서 차례차례 승진을 거듭해온 인물이다. 부서 곳곳을 제집처럼 휘젓고 다니는 그는 중국 직원들에게 흠모의 대상이지만 한국 직원들에게는 달갑지 않은 존재였다. 윤과 눈이 마주치자 그는 슬그머니 자리를 뜬다.

회장과 임원진은 W마트 측에 수차례 전화를 걸어보지만, 그쪽에서는 서면에 명시한 것 외에는 어떤 의견도 전할 수 없다고 일축한다. 회장과 임원진은 이팀장을 부른다. 블라인드 너머로 머리를 부여잡고 앉아 있는 회장이 보인다. 이팀장은 굳은 얼굴로 회장실에서 나온다.

"이번 가격협상 건은 전적으로 우리 팀 역량에 맡기겠다는군."

W마트 출고 물량은 회사 전체 생산량의 절반 이상을 차지하고 있었다. 이윤이 남지 않는 계약을 이어나가는 것이나, 계약을 포기하고 회사 구조를 휘청거리게 하는 것이나 둘 중 어느 쪽도 잘했다는 소리를 듣지 못할 일이었다.

사무실 창문으로 공장 앞에 늘어선 사십 톤 트럭의 행렬이 보

186

인다. 오전작업을 마친 공원들이 그 사이로 걸어나오고 있다. 팔짱을 끼고 걸어가는 여자 공원들의 머리카락이 언뜻언뜻 바람에 날린다.

그녀를 만난 것은 초등학교 동창회에서였다. 보험회사에 다니는 친구에게 이끌려 나간 자리였다. 먼 곳에서 한 여자가 나를 빤히 바라보는 게 느껴졌다. 어깨까지 늘어뜨린 부스스한 파마머리에, 헐렁한 파란색 원피스를 입은 여자였다.

여자의 시선은 저녁 내내 나를 좇아다녔다. 뭔가를 추궁하는 듯한 눈길이었다. 나는 그녀에 대한 기억을 떠올려보려고 했지만 도무지 누구인지 알 수 없었다. 불쾌함에 자리를 뜨려고 했을 때, 여자가 내게 다가왔다. 나는 나도 모르게 한 걸음 뒤로 물러섰다.

네가 나를 다치게 했잖아.

여자가 말했다. 나는 잠시 멍하니 여자를 바라보았다.

무슨 소린지 모르겠는데.

네가 나를 다치게 했다고. 미술반에서, 치고받고 싸우다가 네가 내 앞으로 넘어졌잖아. 네 목걸이열쇠가 내 팔을 찔렀어. 기억 안 나니.

그녀는 원피스의 소매를 걷어 보였다. 그곳에 새의 날개 같은 흉터가 있었다. 그녀는 나를 빤히 올려다보았다. 밝은 갈색 눈동자 속에 희미하게 흩뿌려진 검은색 점들이 보였다. 나는 그녀를 기억하지 못했다.

이튿날부터 회사 사람들의 눈길은 전부 우리 팀에게 향한다. 어디서 이야기가 흘러들어갔는지 식당 아주머니들까지도 모여서 우리를 바라보며 술렁거린다. 주문제작으로 운영되는 회사에서 W마트 계약이 끊기면 당장 직원들의 반수 이상이 손을 놓게 된다. 이 일의 파장이란 그들의 생계에 직결되는 것이다. 건너편 테이블에서 로미오의 새까만 눈동자가 보인다. 그는 집요하게 우리를 바라본다.

팀원들은 며칠간 머리를 맞대고 손익을 맞춰보지만 합의가 되지 않는다. 경쟁사의 샘플로 제작원가를 분석해봐도, 그것은 어디까지나 짐작일 뿐 그들이 어떤 숫자를 내밀지 알 수 없다. 숫자가 우리를 쫓아다닌다.

마감일이 다가올수록 늦은 시간까지 회의가 이어진다. 끊임없이 차를 마시는 까닭에 밤에는 잠이 오지 않는다.

"나는 이게 뭔지 모르겠어."

자정이 다 된 시각, 박과 윤, 나는 가로등도 없는 캄캄한 길을 나란히 걸어가고 있다. 기숙사에 가까워졌을 때 내가 말한다.

"방수포 말이야."

"피곤한데 그런 소리 그만둬."

윤은 코트 속 깊숙이 고개를 파묻고 한숨을 쉬듯 말한다. 땅바닥에 끌리는 구두 굽 소리가 둔탁하게 허공을 울린다.

188

입찰 마감일을 하루 앞둔 날, 이팀장은 윤과 박의 의견을 따라 기존의 원가를 유지하는 쪽으로 결정을 내린다.

그날, 박은 우리를 저녁식사에 초대한다.

"아내가 하도 졸라서."

박은 변명을 하듯 웅얼거린다. 가족 기숙사는 독신자 기숙사에서 두 블록쯤 떨어져 있다. 중국 인형같이 생긴 여자아이가 문 앞으로 달려와서 우리를 올려다본다. 거실에는 기다란 상이 놓여 있다. 부엌에서 분주하게 손을 움직이는 여자가 우리를 향해 미소를 짓는다. 여자애가 엄마를 많이 닮았다는 것을 알 수 있다. 이팀장은 어색하게 소파의 한끝에 엉덩이를 대고 앉는다. 박의 딸은 이팀장의 반짝거리는 스카프에서 눈을 떼지 못하고 그 옆에 붙어앉는다.

중국인인 박의 아내는 김치찌개, 불고기, 잡채에 오징어순대까지 부엌에서 차례로 음식을 내온다. 커다란 상이 빈틈없이 메워진다. 호들갑스러운 윤의 칭찬에 박은 머리를 긁적거린다.

음식을 먹는 동안 우리는 공단 근처의 식당에 대한 이야기를 한다. 한식당이 늘고 있지만 제대로 된 집이 없다는 얘기, 어디는 김치 맛이 삶은 행주 같다는 얘기, 사거리 돼지국밥집에서 사람 손톱이 나왔다는 얘기. 박은 방에서 시디를 들고 나온다. 우리는 유행이 지난 가요를 들으면서 청도 맥주를 마신다. 이윽고 밤이 깊어 자리에서 일어날 때, 이팀장은 잠든 어린애의 얼굴을 잠시 들여다본다.

기숙사 건물을 나오자, 얼음처럼 차가운 바람이 뺨을 스친다. 우리는 술기운에 조금씩 비틀거린다. 공장 굴뚝에서 검은 연기가 솟아오르는 것이 보인다.

"계약이 틀어지면…… 어떻게 되는 거죠?"

"회사, 아니면 우리?"

이팀장은 몸을 기우뚱거리며 되묻더니, 말없이 고개를 푹 숙여버린다.

"그럴 리가 없다니까!"

윤이 팔을 내저으며 소리를 지른다.

"다 허세야. 놈들은 그냥 한번 찔러본 거라니까."

그때 나는 계단 위에서 누군가 손을 흔들고 있는 것을 본다. 그 낯익은 실루엣에 나는 굳어버린 듯 걸음을 멈춘다. 순간 나는 그녀를 끌어당기고 싶기도 하고, 밀어내고 싶기도 하고, 정신 없이 흔들어대고 싶기도 하다. 나는 숨이 턱에 닿도록 계단을 달려 올라간다. 하지만 가까이 다가갔을 때 그것은 가지에 비닐봉지가 걸린 내 키만한 동백나무에 지나지 않는다.

뒤에서 이팀장과 윤이 웃는 소리가 들린다. 머쓱해진 나는 나뭇가지를 손으로 쓸고 지나간다. 거친 감촉의 화끈거림이 오랫동안 손바닥에 남는다.


다음날 나는 늦잠을 자는 바람에 아침을 거른 채 사무실에 나간다. 입구에서부터 사무실 분위기가 심상치 않은 것이 느껴진다.

구호무역팀 사람들이 곳곳에서 울리는 전화벨 소리에 이리저리 뛰어다니고 있다. 나는 조심스럽게 가방을 자리에 내려놓는다.

"무슨 일 있어?"

윤이 무료한 표정으로 인터넷 기사를 가리킨다. 동남아국가에 사이클론이 덮쳐 수십만 명의 사상자가 발생했다는 소식이다. 국제기관이 긴급구호에 나서기로 했다는 기사의 마지막 줄을 읽고 있는데, 회장실에서 어떤 소리가 들린다.

작은 소리지만, 그것은 추가 흔들리는 것처럼 분명한 간격을 두고 계속 진동한다. 반만 젖힌 블라인드 너머로 로미오가 회장의 책상 앞에 서 있는 게 보인다. 로미오는 과장되게 손장단을 치면서 무슨 말을 하고 있다. 아이처럼 책상에 앞가슴을 기대고 앉은 회장이 그 말을 들으며 입을 벌려 웃는다.

구호무역팀 업무로 회사가 어수선한 가운데, 이팀장은 최종 날인을 받은 문서를 W마트 측에 전송한다. 팀원들은 각자의 자리에서 팩스 기계의 불빛이 점멸하는 것을 바라본다.

점심시간, 로미오가 이팀장을 찾아온다. 이팀장은 그를 따라 나갔다가 한참 뒤에 자리로 돌아온다.

"우리가 저쪽 팀 일을 좀 도와야겠어요."

이팀장이 우리를 둘러보며 말한다.

"구호물자 주문에 복잡한 일이 뭐 있다고요?"

"단가를 올려 받을 생각인가봐."

이팀장은 건조하게 대답한다.

"주로 전화업무가 많을 거야. 연결되면, 이대로 이야기하면 돼."

재고 부족과 물가 상승, 인력 비용, 회사의 자금난 등 여러 가지 이유들을 일목요연하게 정리한 서류가 배부된다. 나는 리스트를 훑어본다. 원래 금액의 삼십 퍼센트를 높여 받겠다는 요지다.

온종일 구호단체에서 수십 통의 전화가 걸려온다. 단가를 높여 받기로 했다는 말에 상대편 사람들은 벌컥 화를 낸다. 그들은 아이를 야단치는 어른처럼 언성을 높인다. 하지만 시간이 갈수록 그들의 어조는 점차 절박해진다.

오후 무렵 로미오는 도넛 상자를 들고 온다. 스트라이프 셔츠에 면바지를 입은 그는 명민한 대학생 같은 인상이다. 그는 차분한 검은 눈동자로 우리를 훑어본다.

"다른 말 할 것 없이, 안 된다고만 하면 됩니다. 다른 업체에 전부 연락해보고 다시 우리에게 올 거예요."

로미오의 계획은 단순하다. 구호물자인 이상, 상대편에서는 시간을 끌지 않는 걸 최우선으로 할 거라는 계산이다. 업계에서 원하는 만큼의 재고를 끌어올 수 있는 회사는 이곳밖에 없다. 결국 한 군데도 방수포를 내주지 않고 하루가 지나간다.

기숙사로 돌아오는 길에 나는 옆방을 쓰는 윤에게 샤워기의 온도 조절이 잘 안 되지 않느냐고 묻는다.

"나는 잘 모르겠는데."

192

윤은 건성으로 대답한다. 그는 어딘가 나사가 풀린 듯한 표정이다. 나는 관리실에서 양동이를 구해와서 물을 섞어 쓴다. 양동이에서 붉은 녹이 조금 섞여나온다.

밤새 사무실의 전화기가 울린다. 기숙사에서도 희미하게 그 벨소리가 들린다.

"아이들이 물에 떠내려가고 있어요."

전날 미친 듯 화를 냈던 영국 여자가 지친 음성으로 말한다.

"망할 천조각을 보내달란 말이에요."

그것은 순서대로 쓰러지는 도미노게임 같다. 나는 로미오가 차례로 계약을 체결하고 높은 가격으로 방수포를 팔아치우는 것을 바라본다. 공장을 빠져나가는 트럭의 행렬이 이어진다. 퇴근길에 나는 기숙사 관리인에게서 두툼한 소포를 건네받는다. 겉봉에 그녀의 이름이 씌어져 있다. 나는 소포를 옆구리에 끼고, 계단을 올라간다.

나는 텔레비전을 켜고 부엌에 서서 저녁을 먹는다. 도시락에 든 닭요리는 조금 차갑다. 어느 채널에서도 사이클론 소식은 나오지 않는다. 세탁기를 돌리고, 휴지통을 비우고, 방 안의 불을 모두 밝힌 나는 책상 앞에 앉아 소포를 뜯는다.

그것은 중간 크기의 상자다.

상자 안에 돌멩이가 들어 있다. 골프공만한 크기에 울퉁불퉁한 검은색 돌멩이. 나는 그것을 찬찬히 돌려본다. 하지만 대체 그것이 무슨 의미인지 알 수 없다. 나는 침묵 속에서 돌멩이를 바라보다가 그녀에게 전화를 건다. 언제나처럼 서비스가 중단되었다는 안내음성이 흘러나온다.

W마트는 계약을 파기한다. 쌍방의 이해관계가 다른 이유로, 라고 시작되는 문서를 보고 있으니 마치 그들이 장난을 치고 있는 것 같은 기분이 든다. 재고 정리를 위해 납품을 중지해주기 바란다는 문장이 마지막으로 반듯하게 씌어 있다.

계약 파기로 인해 회장의 신경은 극도로 날카로워진다. 임원들은 하루에도 몇 번씩 회장의 욕설을 듣는다. 복도 곳곳에서 구조조정에 대한 소문이 공공연하게 들린다. 사람들은 더이상 사무실에서 커피를 마시거나 농담을 하지 않는다. 이팀장의 사직서는 임원 선에서 수리되지 않는다.

사이클론은 계속해서 근방의 국가들을 쓸고 지나간다. 이틀 사이 남한 면적의 여섯 배 되는 지역이 물에 잠긴다. 이제 텔레비전을 틀면 어느 채널에서나 물 위에 떠다니는 가축과, 죽은 엄마를 붙잡고 우는 아이 들을 볼 수 있다. 사람들은 시체가 떠다니는 강에서 물을 퍼마신다. 나는 온종일 구호단체의 전화를 받는다. 로미오는 납품가를 십 퍼센트 더 인상시킨다. 회장과 개별면담을 한 로미오는 제 측근의 중국인들을 감원시키지 않겠다는 약속을 받아낸다.

W마트 출고가 멈추자 임원 측에서는 회의를 소집한다. 상무는 '적자를 감수하고라도 W마트와의 계약을 유지하는 편이 나

194

왔다'고 입을 연다. 그것이 장기적인 성장을 도모하는 길이었다는 것이다. 그는 이제 업계 내의 점유율 우위를 놓치게 될 게 분명하다고 혀를 차며 말한다.

"그렇게 잘 알면 진작 나서든가."

나는 나도 모르게 중얼거리고, 그 소리에 퍼뜩 놀란다. 이팀장은 내내 종이 위에 작은 원을 그려대고 있다.

"제 생각에는……"

잠자코 듣고만 있던 로미오가 입을 연다.

"당분간만 그들의 요구를 수용하고, 계약을 재개하는 게 좋을 것 같습니다."

그는 매끄러운 영어로 말한다.

"다른 대형 점포를 뚫을 때까지는 손실을 감수할 수밖에 없습니다. 그때까지는 구호용품에서 얻은 여분의 이득을 투자한다는 생각으로 버텨야 될 겁니다."

그는 임원들을 하나하나 바라보며 말한다.

"중요한 건 공장이 멈추지 않는 겁니다."

임원들은 무겁게 고개를 끄덕인다. 창밖에 새하얀 진눈깨비가 날리고 있다. 이르게 피었던 화단의 꽃 위에도 하얀 가루가 떨어진다. 나는 까맣게 변해버린 이팀장의 종이를 바라본다.


W마트 측에서는 로미오가 내민 하향된 가격조건을 받아들인다. 이미 다른 업체와 계약을 앞둔 것을 로미오가 손을 써, 가까

스로 방향을 돌이켰다는 후문이다. W사의 직원들이 회사에 방문하자, 회장은 임원들과 로미오를 대동하고 나간다.

윤은 몸이 안 좋다는 핑계로 회사에 이틀간 결근한다. W마트 업무가 공중에 떠, 할 일이 마땅치 않아진 나는 하루 종일 재고 수량을 확인하고 카탈로그를 넘겨본다. 두터운 카탈로그 속 자동차 덮개는 색깔이나 디자인이 화려해 의상 디자인을 보는 것 같다. 수영장 덮개는 명화와 애니메이션 캐릭터를 새겨넣은 디자인이 많다. 구호천막은 사이즈 구분 없이 청록색 한 가지로 통일돼 있다. 그것은 카탈로그에 등장하지 않는다.

퇴근시간, 조금 일찍 일어난 나는 이팀장에게 윤을 한번 찾아가보는 게 좋겠다고 이야기한다.

책상 앞에 앉은 이팀장은 나를 멀거니 바라본다.

"아직 몰랐구나."

"뭘요?"

"그 사람, 학교로 돌아갔어."

나는 말을 잘못 들은 사람처럼 이팀장에게 머리를 기울인다.

"자기 적성에 안 맞는 것 같다나."

"그게 무슨……"

이팀장은 말을 전하기가 곤란한 듯 양 미간을 찌푸린다.

"윤 말이야…… 회장님 조카였어."

그녀는 슬리퍼를 구두로 바꿔 신으며 이야기한다. 회사 지분의 절반을 가진 회장의 큰형이 윤의 아버지라는 것, 중국의 비

196

즈니스 스쿨 박사과정에 있던 윤은 경험 삼아 입사했었다는 것, 사흘 전 그만두겠다고 짐을 싸서 돌아갔다는 것. 그녀가 말을 마치고 자리에서 일어날 때까지 나는 눈도 깜빡이지 않는다.

"나도 엊그제 알았어."

그녀는 나를 위로하듯 말한다.

"모두 속았지 뭐야."

기숙사로 돌아온 나는 시험 삼아 윤의 방문을 두드려본다. 텅 빈 문은 저 혼자 스르르 열린다. 나는 내 방과 완전히 다른 옆방의 내부구조를 한참 동안 바라본다.

W마트와의 관계가 정상화된 후, 중국인 두 명이 미주무역팀에 들어온다. 로미오는 구호무역팀과 미주무역팀을 총괄하는 자리를 맡는다. 이팀장은 회장으로부터 증원된 두 명 대신 한 명을 감원시키라는 지시를 받는다. 등을 대고 앉은 박에게서 기묘한 긴장감이 전해진다. 그는 점심시간이면 말없이 자리를 뜬다.

나는 더이상 아침에 조깅을 하지 않는다. 온종일 홀로 돌멩이를 내려다본다. 그것은 정말 신기하리만치 울퉁불퉁한 돌멩이다. 그녀가 돌멩이에 대한 얘기를 한 적이 있던가. 잘 기억나지 않는다.

그녀의 직업은 딱히 하나로 정의할 수 없는 것이었다. 그녀는 상자처럼 생긴 가방에 여러 가지 잡동사니를 넣어다니면서 귀고리나 목걸이, 열쇠고리 같은 것을 만들었다. 그것을 매장에 넘겨주기도 하고 가끔은 자신이 직접 들고 나가 팔기도 했다. 밥을 먹을 만큼의 돈은 충분히 벌어들였고, 나머지 시간에는 자기가 하고 싶은 일을 했다.

그녀는 서울 변두리에 작은 작업실을 갖고 있었다. 거기에서 대부분의 시간을 보내는 것 같았다. 나는 한 번도 그 작업실에 가본 적이 없었다. 우리가 만날 때는 늘, 그녀가 내 방으로 왔다. 그녀는 흐르는 물처럼 머무르지 않고 돌아다녔다.

언젠가 나는 그녀에게 십 년 뒤의 삶을 생각해본 적이 있냐고 물었다. 그녀는 웃음을 터뜨리며 '아니, 절대로, 한 번도'라고 대답했다. '너는 괴짜구나.' 그녀는 웃음을 그치고 나를 바라보았다. 우스꽝스럽게 진지한 표정이었다. '그게 나쁜 거야?' 나는 무성의하게 어깨를 으쓱했다. '괴짜들은 불행해 보이니까.' 그녀는 입을 꾹 다물었다. 그리고 말없이 손에 쥐고 있던 작은 공을 땅에 던졌다. 노란색 고무공이 텅, 소리를 내며 튀어올랐다.

아침 일찍부터 휴대폰이 울린다. 새벽부터 깨어 있던 나는 벨이 한참 울린 뒤에 전화를 받는다. 미역국은 먹었냐는 아버지의 목소리가 들린다. 나는 창밖을 바라본다.

"중국 사람들은 생일날 비가 내리면 자기를 닮은 귀신을 만난다고 해요."

아버지는 내 말을 못 들은 것처럼 밥은 꼭 챙겨먹어라, 라고 다시 한번 말한다.

나는 델 듯 뜨거운 물로 샤워를 한다. 한국으로 돌아가면 대

198

체 무엇을 어디서부터 다시 시작해야 하는 걸까. 나는 뿌옇게 김이 서린 거울을 뚫어지게 바라본다.

이제 박과 나, 둘 중 한 명이 자진퇴사해야 하는 것은 분명한 상황이다. 문득 일을 이렇게 만든 그들에게 화가 난다. 가격을 내리면 안 된다고 강하게 주장했던 윤이나, 가상모델이다 뭐다 온갖 분석을 다 하고도 잘못된 의견을 낸 박, 그 의견을 좇았던 이팀장까지.

만약 박이 나서서 책임을 지지 않는다면 그것은 너무 뻔뻔하지 않은가. 끝까지 가격협상 쪽으로 의견을 냈던 사람은 나 하나뿐이었다. 실상 박은 영업실적도 가장 저조하다.

이런 생각을 하면서 걸어가고 있는데 반대편 가족 기숙사 쪽에서 나오고 있는 박이 보인다. 그는 고개를 깊이 숙이고 땅만 보며 걷고 있다. 나는 입매를 굳히고 그를 향해 간다. 멀리, 그의 뒤에 서 있는 형체가 눈에 띈다. 박의 아내와 딸이다. 아이는 제 엄마에게 머리를 기대어 서 있고, 여자는 박의 뒷모습을 바라보고 있다. 그들은 꼼짝도 하지 않고 그 자리에 서 있다.

나는 식당에서 마른 빵과 기름이 뚝뚝 떨어지는 돼지고기볶음으로 아침을 먹는다. 사무실로 들어가는 길에 따가운 것이 머리에 떨어진다. 처음 맞아보는 우박이다. 작은 돌멩이 같은 우박.

마지막에는 누구나 자신이 원하는 존재가 되는 거야.

십 년 뒤의 삶을 생각해본 적 있냐고 물었던 날, 먼저 잠든 나를 향해 그녀는 말했다.

그리고 나는 눈에 보이는 세상을 믿지 않아.

그녀의 목소리는 가늘고 긴 관을 통과한 것처럼 맑게 들렸다. 나는 깨어 있었지만, 눈을 뜨지 않았다. 그녀도 알고 있었을 것이다.

텅 빈 사무실 창문에 우박이 떨어지는 소리가 들린다. 나는 팔을 뻗어, 서랍에서 백지를 꺼낸다. 사직서, 라고 쓰고 보니 조금 막막한 기분이 든다.

로미오가 사무실에 들어오는 것이 보인다. 손에 서류철을 든 그는 내 책상으로 다가온다. 나는 그를 흘긋 쳐다본다.

"이걸 좀 설명해봐요."

그는 몇 장의 서류를 내 앞에 들이민다. 그것은 공장의 W마트 출고 기록이다. 누군가 내 장부의 내용을 보기 쉽게 정리한 것이다.

"지난 육 개월간 W마트 측에서 받은 물품량과 우리가 보낸 물품량이 한눈에 봐도 차이가 나는데, 본인이 썼으니 잘 알겠죠. 사이즈별로 구분도 되어 있지 않고, 물량도 조절되지 않아서 매번 오류가 있었다고 하더군요."

나는 비어 있는 이팀장과 박의 책상을 바라본다.

"이건 관례에 따라 적은 것뿐입니다. 실거래 물량에는 오차가 없어요."

로미오는 인상을 찌푸린다.

"들리는 얘기와 다르군요."

200

그는 돌아서려다가 말고 차갑게 덧붙인다.

"그리고 충고하는데, 앞으로 관례라는 소리는 어디서도 꺼내지 않는 게 좋을 겁니다."

'누구의 이야기'와 다르다는 건지 묻기도 전에 로미오는 뒤돌아 가버린다. 곧 박이 사무실에 들어온다. 그는 자리에 앉자마자 호출을 받고 일어난다. 나는 그가 멀리서 로미오와 이야기를 주고받는 것을 본다. 나는 책상 위의 백지를 접어버린다.

짐정리를 하는 데 생각보다 많은 시간이 걸린다. 나는 가방을 싸고 풀기를 몇 번씩 반복한다. 짐을 다 꾸렸다고 생각할 때마다 구석에서 잊은 것들이 뒤늦게 나타난다.

오전에 업무 인수인계를 다 끝낸 나는 사람들에게 인사를 하러 다녔다. 사이클론 보너스를 받은 구호무역팀은 회장과 임원단과 함께 회식을 하러 나간 참이었다. 부서 내에 나를 아는 사람은 채 다섯 명도 되지 않았다.

이팀장은 어색하게 웃으며 서랍에서 종이백을 꺼냈다. 부스럭거리는 그 안에, 방수포가 들어 있었다. 나는 이팀장의 주름진 입가를 바라보았다. 그녀는 내게 할 말이 없었고, 지쳐 보였다. 나는 그녀에게 고맙다고 말했다. 마지막 월급은 출근 일수만큼 계산되어 입금될 거라고 그녀가 말했다.

가방을 다 꾸린 나는 텅 빈 방을 바라본다. 그 방에 남은 얼룩 따위는 없다. 그곳은 누구도 머문 적 없는 공간처럼 보인다. 나는 기숙사 앞의 동백나무를 지나쳐, 천천히 회사 입구를 빠져나간다. 택시는 회사로부터 멀리 떨어진 곳으로 불렀다.

언제나처럼 하늘이 흐리다. 가방을 메고 한참을 걸어가다보니 주위는 나무 한 그루 없는 허허벌판이다. 갑자기 한 줄기 빗방울이 떨어진다. 나는 순식간에 어두워지는 하늘을 바라본다. 길가에는 자동차는커녕 지나가는 사람 한 명 없다.

이윽고 앞을 볼 수 없는 기세로 비가 내린다. 가방이 하나둘 젖기 시작한다. 빗줄기가 땅에 세차게 내리꽂힌다. 온몸이 흠뻑 젖은 나는 등에 멘 배낭을 내린다. 제일 가까운 데 손을 넣자, 이팀장에게서 받은 방수포 중 하나가 잡힌다. 나는 잠시 망설이다가, 그것의 포장지를 벗긴다. 천을 펼치자마자 청록색의 천막이 바람에 펄럭인다.

천막은 가방을 다 덮고도 한참이 남는다. 나는 제일 큰 가방으로 천을 지탱시키고 그 안에 들어가 비를 피한다. 나머지 가방들을 끌어당기는데, 뭔가가 깨지는 소리가 들린다. 돌멩이. 그것은 땅에 떨어져 반으로 갈라져버렸다. 반짝이는 단면에 내 눈동자가 비친다. 나는 그것을 유심히 바라본다. 동그랗게 이어지는 줄무늬에, 점점이 박힌 하얀 가루들. 그것은 돌멩이가 아닌 것처럼 보인다.

순간, 바닥에 납작 엎드려 울고 있는 어린 그녀가 떠오른다. 그때 내가 그녀에게 용서를 빌었던가. 타다닥 타다닥, 빗줄기가 천을 때리는 소리가 들린다. 반복되는 그 소리 사이로 사람들이

202

웅성대는 소리가 들린다. 나는 어깨를 움츠리고 귀를 기울인다. 그것은 분명 내 지척에서 들리는 소리다. 나는 천막의 바깥으로 고개를 내민다.

아이들이 모여앉아 있다. 땅에 앉은 네댓 명의 동남아 아이들. 그 아이들이 다갈색 눈동자로 나를 바라본다. 나는 그들의 가무잡잡한 피부를 멍하니 바라본다. 하늘은 폭풍이 잠시 멎은 듯 짙푸른 빛이다.

주위의 풍경은 내가 걸어온 길과 완전히 다르다. 빽빽이 솟아오른 수풀과 이끼로 뒤엉킨 나무들, 검은 물웅덩이들. 공기가 무겁고 진해진 것을 느낀다. 나는 꿈과 같은 질감으로 그것들을 바라본다.

비에 젖은 수풀 위에 청록색의 천막들이 열을 이루며 서 있는 것이 보인다. 입구에 여러 켤레의 신발이 뒤엉켜 있는 천막, 아기 울음소리가 흘러나오는 천막, 찢어진 옷들이 걸려 있는 천막, 이야깃소리가 들리는 천막. 각 천막들의 지붕은 우거진 잎사귀처럼 서로 맞닿아 있다.

열댓 명의 사람들이 한쪽 불가에 모여 빵을 뜯고 있는 것이 보인다. 그들은 모두 말없이 어딘가에 기대앉아 있다. 젊고 야윈 남자가 옆에 앉은 여자의 손을 가져다 자신의 가슴에 댄다. 여자의 입술이 자그맣게 떨린다. 그들은 귓속말로 조용히 이야기를 주고받는다. 지친 노인들은 골똘히 생각에 잠긴 듯한 표정이다. 그들의 주위에 산더미 같은 짐이 쌓여 있다.

웃옷을 벗은 청년들이 천막의 한쪽 끝에서 제방을 쌓고 있다. 그들은 뭉툭한 삽으로 흙을 퍼나르고, 땅을 두드려댄다. 그들은 담배 한 대에 불을 붙여, 그것을 조심스럽게 나누어 피운다. 누군가 우스운 얘기를 했는지 무리가 소리 죽여 웃는다. 앙상한 손끝에서 담배의 불빛이 반딧불처럼 깜빡거린다.

자그마한 곱슬머리 아이 한 명이 내 뒤로 숨어든다. 아이는 장난스러운 눈빛으로 조용히 하라는 손짓을 한다. 그보다 조금 큰 아이들이 맨발로 천막 사이를 뛰어간다. 아이는 손에 쥔 빵을 내게 나누어준다. 나는 그것을 조금 베어먹는다. 옥수수와 소금의 맛이 난다.

하늘이 다홍빛으로 물들고 있다. 붉은 실을 길게 늘인 것 같은 노을이다. 낡은 천막 위로 분홍색 빛을 품은 구름이 천천히 흘러간다. 나는 나지막한 신음을 내뱉는다.

낯선 소리에 눈을 번쩍 뜬 나는 주위를 두리번거린다.

흙길에 잿빛의 물줄기가 흐르는 것이 보인다. 텅 빈 거리에 공장의 엔진 소리가 울리고 있다. 꿈이었을까. 서늘한 목덜미에 소름이 돋는다. 빗줄기는 여전히 거세다. 나는 묵직하게 느껴지는 팔다리를 움직여본다.

내 손아귀에는 갈라지지 않은 돌멩이가 들어 있다. 나는 그것을 조심스럽게 만져본다. 돌멩이는 딱딱하지도 울퉁불퉁하지도 않다. 그것은 놀랄 만큼 부드럽고, 매끄럽고, 따뜻하다. 살아 있는 것처럼 느껴지는 감촉이다.

언젠가 나는 그녀에게 물어본 적이 있다.

왜 나보다 먼저 잠들지 않는 거야?

그녀는 잠시 나를 보고 생각하더니 대답했다.

잠든 네 모습을 보려고. 그때 네가 낯설어 보여서 좋아.

낯선 게 왜 좋은데?

그녀는 미소를 지었다.

그때 더 많은 것을 가질 수 있거든.

민들레 홀씨처럼 헝클어진 머리카락, 단단하고 긴 팔, 뜨거운 손바닥. 그녀는 때때로 믿을 수 없을 만큼 강한 힘으로 나를 꽉 껴안았다. 그녀는 지금 어디에 있을까.

빗소리가 커다랗게 울린다. 기울어진 천막의 한 귀퉁이에서 물방울이 떨어진다. 그것은 투명한 새의 날개처럼, 내 팔뚝 위에 내려앉는다. 순간 뜨거운 통증이 일어난다. 고통은 불에 지진 칼 끝처럼 피부 속에 스며든다. 날카롭게 시작된 통증의 마지막 꼬리가 천천히 내 몸을 훑고 지나간다. 나는 내가 가야 할 곳을 깨닫는다.

멀리서 가물거리는 노란빛이 나타난다. 나는 그것이 택시의 불빛이기를 바라며 손을 내민다. 등뒤에서 수백 개의 천막이 바람에 펄럭이는 소리가 들린다.

# 휴일의 음악

내 삶은 늘 어딘가 텅 비어 있었단다. 나는 항상 내가 절름발이처럼 느껴졌어. 그런데 기억이 늘어날수록 내 삶이, 이해가 돼. 구겨져서 보이지 않았던 부분들까지. 나는 구름처럼 높은 곳에서 나를 바라본단다.

\*

할머니는 노래를 부를 때마다 눈물을 흘렸다. 눈물을 흘릴 땐 쌍둥이처럼 노래가 따라 나왔다. 할머니 몸속에서 그 둘은 하나처럼 섞여 있었다. 할머니는 수줍음이 많은 편이었다. 우는 때가 아니면 절대로 노래를 부르지 않았다.

일 년에 두세 번, 간혹 새벽녘이면 할머니는 자그맣게 목청을 가다듬었다. 잠귀가 밝은 나는 눈을 꼭 감고, 공기보다 무거운 가스에 대해서 생각했다. 할머니의 젖은 노래가 이불 위에 누운 언니와 내 위로 차오르는 것 같았기 때문이다. 낮게 떨리는 음조와 희미한 한숨은 안개처럼 뿌옇게 바닥으로 가라앉았다. 숨이 딱 막힐 것 같을 때, 노래는 사그라졌다. 나는 슬픔에도 임계

점이 있다는 것을 배웠다.

매번 두 손으로 귀를 틀어막았지만, 나는 나도 모르게 그 노래들을 따라 불렀다. 신발주머니를 흔들고 걸어가면서, 책상 밑에 떨어진 지우개를 주우면서, 하늘에 날아가는 비행기를 보면서, 〈동백아가씨〉나 〈서울이여 안녕〉을 흥얼거리곤 했다. 할머니랑 살아서 냄새가 난다고 친구들은 언니와 나를 놀렸다. 언니는 무표정하게 앞장서 걷다가 집에 들어오면 내 입술을 꼬집었다.

또 부를 거야?

나는 입술을 빨면서 고개를 저었다. 우등생이었던 언니는 인생에는 어쩔 수 없는 게 있다는 걸 이해하지 못했다. 나는 할머니의 버릇처럼 손으로 가슴을 슥슥 문질렀다. 다 하지 못한 노래가 그 안에서 팽이처럼 뱅뱅 돌아다녔다.

*

"지난 주말에는 뭘 하셨나요?"

상대편 여자는 한참 동안 기억을 더듬었다. 라디오를 틀어놓았는지 수화기 저편에서 이미자 메들리가 흘러나왔다. 나는 설문지 아래 신문지에 나선을 그려대고 있었다. 답을 기다리는 동안 목이 칼칼해졌다.

"아침에는 북어국을 끓였고, 아들이 나간 뒤에 혼자 집에서 텔레비전을 봤어요. 딱히 생각이 안 나네. 늘 비슷하죠, 뭐."

210

여자는 말끝을 흐렸다. 나는 전화를 끊고 설문자 신상을 빠르게 적어나갔다. 여성, 오십대 후반, 서울 거주, 전업주부. 창문으로 들어오는 햇볕에 목덜미가 따끔거렸다. 누군가 신경질적으로 펜 끝을 두드리고 있었다. 나는 백여 장 남은 설문지의 묶음을 벗기고 다음 번호로 전화를 걸었다.

리서치회사의 신입사원들이 하는 일은 대개 전화설문에 국한되어 있었다. 각 지역에서 뽑은 표본의 전화번호로 연령, 성별, 종교별 할당수를 조사하는 것이었다. 조사팀은 하루 백여 통 이상의 전화를 걸었다. 입사한 첫 달에는 귓가에서 이명이 울려 잠자리에 누워도 종소리가 들렸다. 퇴근 후 집에 돌아오면 줄곧 귀마개를 끼고 생활해야 했다.

설문대상자들은 조사원들을 잘 믿지 못했다. 자기 번호를 어떻게 알았느냐고 신경질적으로 되묻거나 좀처럼 입을 열지 않는 사람들이 대부분이었다.

"왜 하필 저한테 물으시는 건데요?"

"표본은 모래사장에서 들어올린 모래알과 같은 거예요."

뭐라고 말해도 설문자들은 쉽게 경계를 풀지 않았다. 그들의 긴장감을 없애는 것이 이 일의 가장 중요한 기술인 셈이었다. 공기업 수주로 지난 한 달간 진행된 '휴일의 여가활용'에 대한 설문은 유독 무응답률이 높았다. 설문자들은 대답을 거부하거나, 말을 하다 말고 전화를 끊어버렸다.

개중에는 지난 주말을 아예 기억하지 못하는 사람도 있었다.

글쎄요, 라고 말끝을 늘이던 사십대의 한 남자는 십여 분이 지나도록 기억을 떠올리지 못했다. 그는 끝내 허탈하게 웃었다.

"희미한 게…… 정말 기억이 안 나요."

금요일 오후, 회의를 마치고 돌아온 팀장은 조사가 완료된 지역의 데이터를 화이트보드에 붙였다. 멀리서도 'TV 시청'과 '수면'의 수치가 확연히 높은 것을 볼 수 있었다. '가사'와 '종교활동'이 큰 격차로 뒤를 잇고 있었다. 창밖이 점차 어두워지자 네온사인 불빛이 선명해졌다.

"정리하고 퇴근합시다."

팀장이 가방을 들고 종종걸음으로 사무실을 나가며 말했다.

"주말엔 만나도 아는 척하지 말고!"

팀장의 옷자락이 사라지기 무섭게 자리에서 사람들이 일어났다. 화장실을 오가던 여사원들의 무리가 빠져나가자 사무실은 금세 썰렁해졌다. 나는 의자 등받이에 뻐근한 뒷목을 기댔다.

사무실 건너편 아파트 창문에 희미하게 불빛이 들어온 것이 보였다. 주상복합빌딩의 십구층 두번째 창문. 일곱시가 되었으니 윤의 가족들이 모두 들어왔을 터였다.

그의 아내는 냉장고에서 오렌지주스를 꺼내고, 아이들은 자주색 술이 달린 소파의 양쪽 끝에 앉아 다리를 까딱일 것이다. 문득 윤은 지금 어떤 옷을 입고 있을까 궁금해졌다.

그의 집 거실은 연극 무대와 같았다. 월요일부터 목요일까지는 내가 오르고, 금요일부터 일요일까지는 그의 딸과 아들, 아내

212

가 오르는 무대. 나는 창문 너머 보이지 않는 그들의 움직임을 좇았다.

윤과 정식으로 만나기 시작한 것은 언니와 형부가 호주로 떠나고 난 직후의 일이었다. 윤은 형부의 오랜 친구였다. 공연기획사의 간부로 있는 그는 언니와 내게 종종 공연 티켓을 보내주곤 했다. 언니가 떠나자 더이상 공짜 공연은 없다는 게 내심 아쉬웠는데, 그에게서 전화가 왔다. 첫 데이트 날 나는 아끼던 팔찌를 잃어버렸다. 가만히 앉아 있어도 땀이 흐르는 여름밤이었다. 팔찌가 사라진 손목에는 끈적끈적한 기운만 묻어 있었다.

그의 아내는 몇 년 전부터 지방에서 아이들과 따로 생활하고 있었다. 윤은 아내와 아이들에 대해서 별말을 하지 않았다. 그들은 그의 입술 위에 돋은 희미한 점처럼 조용하게 존재하고 있었다. 나는 그와 함께 이야기를 하다가, 밥을 먹다가, 문득문득 그 점을 발견했다. 내 표정이 굳으면, 윤은 자신의 눈을 똑바로 보게 하고 말했다.

그 사람과 나는 오래 전에 서로를 포기했어.

만난 지 일 년이 지났을 때 나는 윤의 집으로 이사를 했다. 호수가 한눈에 들어오는 그 집은 회사에서 가까워 오랫동안 늦잠을 잘 수 있었다. 아침에는 아래층 상가에서 베이글을 주문해 먹고, 저녁에는 그와 함께 호수 근처를 산책했다. 나는 시장에서 직접 벽지를 골라 집 안 전체를 새로 도배했다.

새집 생활에 완전히 익숙해졌을 때쯤 윤의 아내로부터 전화가 걸려왔다. 용건이 있으니 주말에 그를 만나러 오겠다는 것이었다. 윤은 손가락으로 탁자를 두드려댔다.

"서류 정리 얘기를 하려는 건지도 몰라."

그들이 조용히 이야기를 나눌 수 있도록 나는 아침부터 자리를 피해주었다. 여자는 아이들을 데려와 주말을 그 집에서 보내고, 일요일 저녁 차로 내려갔다.

내가 집에 돌아왔을 때 윤은 베란다 앞에 서 있었다.

"이 주 뒤에 또 들르겠대."

그는 조금 얼이 빠진 표정이었다.

"그리고요?"

"별다른 말은 하지 않았어."

여자가 올라오면 나는 친구들의 집이나 할머니가 있는 요양원을 전전하며 주말을 보냈다. 짐을 꾸리는 시간이 점차 길어졌다. 일주일에 이틀은 임시로 사는 기분이었다. 금요일 저녁이면, 나는 질문을 하듯 그 집 창문을 바라보았다. 그의 아내는 내게 아무 대답도 해주지 않았다.

퇴근시간이 지나자 중앙환풍기가 멈춰 공기가 갑갑해졌다. 귀마개를 하고 앉아 있으니 꿈을 꾸는 것처럼 몽롱한 기분이 들었다. 건너편 빌딩의 불이 거의 다 꺼질 때까지 나는 사무실에 앉아 있었다.

토요일 새벽, 나는 땀에 젖어 잠에서 깼다. 차가운 물로 얼굴을 씻고 옷을 갈아입었다. 요양원까지는 길이 멀어서 서두르지

214

않으면 온종일 도로 위에 서 있어야 했다. 새벽공기에서 잉크 냄새가 났다.

자동차에 시동을 건 후 멍하니 앉아 있는데, 문득 그에게 전화를 걸고 싶은 충동이 일었다. 사흘 전 다툰 이후로 윤의 목소리를 듣지 못했다. 잠에서 덜 깬 그의 목소리가 어땠는지 기억이 나지 않았다.

언니가 결혼 후에 남기고 간 푸조는 익숙하고 매끄럽게 움직였다. 텅 빈 도로를 달리는데 순간 눈물이 툭, 떨어졌다. 나는 사력을 다해 핸들을 꼭 쥐고 있었다.


처음 할머니의 집으로 가는 차 속에서 언니는 내 오른손과 자신의 왼손을 묶었다. 새로 입은 원피스가 불편해서 나는 자꾸 어깨를 들썩거렸다. 경찰은 이제부터 할머니와 살게 될 거라고 말했다. 언니는 아무 대답도 하지 않았다. 아버지와 어머니가 사고로 눈을 감은 지 열흘째 되는 날이었다.

봉고차가 낡은 양옥집 문 앞에 서자, 마루에 앉아 있던 노파가 엉거주춤 일어났다. 혼란을 느낀 나는 언니와 묶인 끈을 잡아당겼다.

우리 할머니는 예전에 돌아가셨잖아?

저 사람은 가짜야.

마른 목소리로 언니가 대답했다.

생긴 것도 다르잖아.

눈앞의 노파는 우리가 어렸을 때 돌아가셨다는 할머니의 사진과 거리가 멀어 보였다. 아버지가 보여준 사진 속의 할머니는 가느다란 복숭아색 입술을 가졌는데, 이 할머니의 입술은 희멀겋고 두껍기만 했다. 노파는 멀찍이서 우리를 바라보았다.

저녁이 되자 할머니는 천장에 매달린 전구의 불빛을 밝혔다. 어두침침한 방의 한구석에 웅크린 듯 접혀 있는 두 채의 이불이 보였다. 나는 언니와 함께 두꺼운 담요를 덮고 누웠다. 발끝까지 무게가 느껴지는 담요였다. 우리는 서로의 숨소리를 들으며 밤새 담요를 뒤척거렸다.

할머니는 시장에서 아동복 장사를 하고 있었다. 아직 학교에 들어가지 않았던 나는 언니가 등교를 하면 할머니를 따라 가게에 나갔다.

진짜 우리 할머니 맞아요?

나는 길을 걸어가면서 할머니에게 물었다. 할머니는 담담한 목소리로 맞지, 라고 대답했다. 하지만 아버지에 대해 물어보면 순식간에 불이 꺼진 것처럼 캄캄한 표정을 지었다.

'가짜 맞구나.'

그래도 나는 상관없다고 생각했다. 할머니의 집은 촌스럽고 낯설었지만 며칠간 묵었던 보호소보다는 훨씬 나았다. 게다가 할머니의 서랍 속에는 기이하리만치 젊어 보이는 할아버지와의 결혼사진이 들어 있었다. 그 사진은, 할머니가 완전히 가짜는 아니라는 뜻이었다.

216

코끝에 바다 냄새가 나기 시작하면 요양원에 반쯤 가까워졌다는 신호였다. 그때부터 해안선을 낀 구불구불한 길이 오랫동안 이어졌다. 창밖으로 푸른 바다와 흔들리는 부표가 보였다.

요양원 초입은 아카시아나무가 우거져 흡사 동굴에 들어가는 기분이 들었다. 자동차 바퀴 굴러가는 소리가 둔탁하게 울렸다. 건물에 가까워지자 뜰을 순회하는 원장 할아버지가 보였다.

"왔어요?"

차를 세우고 나오는데 감색 원피스를 입은 여자가 알은체를 해왔다. 언젠가 할머니가 옆방의 화가 아가씨라고 소개시켜준 여자였다. 나보다 서너 살 위인 그 여자는 손가락에 원인을 알 수 없는 경련이 와서 입소했다고 했다. 마침 외출을 하는 길인지 작은 가방을 메고 있었다.

"어디 가세요?"

"네, 뭐 좀 살 게 있어서요. 다음주에 집에 돌아가거든요."

여자는 이야기를 하면서도 두 손을 허벅지에 꽉 붙이고 있었다. 주차장에서 경적이 울리자 그녀는 미소를 지으며 고개를 까딱해 보인 뒤 총총히 달려갔다.

할머니는 텃밭 한구석에 앉아 있었다. 지난번에 선물한 밀짚모자를 쓰고 있어서 한눈에 알아볼 수 있었다. 나는 큰 소리로 할머니를 불렀다.

할머니는 노래를 흥얼거리며 토마토를 따고 있었다. 내가 가까이 다가가도 노래를 멈추지 않았다. 나는 할머니의 손이 규칙적으로 움직이는 것을 내려다보았다.

"저 왔어요."

할머니는 허밍을 하며 붉은 토마토를 바구니에 담았다. 바구니 안에는 온갖 열매가 뒤섞여 있었다.

"방에 짐을 두고 올게요."

할머니는 대답이 없었다. 나는 고개를 숙이고 수풀이 무성한 길을 따라 걸어갔다. 건물 안에서 몇 명이 와르르 웃는 소리가 새어나왔다. 나무 위 낡은 팻말에 적힌 글귀가 눈에 들어왔다.

'고독에, 암초에, 별에, 우리 돛의 하얀 심려를 불러들인 것이면 어느 것에나.'

할머니의 증상은 신경학에서도 아주 희귀한 경우였다. 이 년 전 갑자기 정신을 잃고 쓰러진 할머니는 뇌졸중 초기단계 판정을 받았는데, 놀라울 만큼 말끔히 회복되더니 어느 날 허밍을 하기 시작했다.

의사인 형부는 할머니의 증상이 관자엽의 이상으로 인한 것이라고 했다. 허밍과 함께 과거의 감정과 기억에 빠지는 일종의 간질증상으로, 그 회상의 질감이 실제처럼 생생해서 현실지각을 잃어버리고 만다는 것이었다. 형부는 할머니의 뇌사진을 보여주면서 말했다.

할머님이 노래를 하실 때는 '지금 여기'에 계신 게 아니야.

할머니는 평소에 지극히 일상적인 생활을 하다가 어느 순간

218

구멍에 빠지듯이 허밍으로 빠져들었다. 불안정하고 오락가락한 그 음정은 노래라기보다는 혼잣말이나 주문처럼 들렸다. 과거에 빠져 있을 때 할머니는 어떤 자극에도 반응을 보이지 않았다. 무엇에 취한 듯 일정한 패턴의 행동을 반복할 뿐이었다. 그 병은 수술을 통해 얼마든지 완치될 수 있는 것이라고 했다. 문제는 환자 본인의 동의였다. 할머니는 그 병을 고치고 싶어하지 않았다. 수술을 거부하는 뚜렷한 이유도 밝히지 않고, 그저 설핏 웃으며 고개를 젓기만 했다. 노인들에게 흥분상태는 시한폭탄과 같은 것이었다. 환각증상이 나타나는 비율은 점점 더 잦아지고 있었다.

버려진 분교를 고쳐 지은 요양원은 문마다 턱이 없고 천장이 낮았다. 한적한 복도를 지나가는데 부엌 쪽에서 향긋한 냄새가 흘러나왔다. 열린 문틈으로 앞치마를 두른 남자가 비스킷을 굽고 있는 것이 보였다.

"들어와요!"

그 안에서 비스킷을 먹고 있던 통통한 간호사 아주머니가 소리를 높였다. 안으로부터 훈훈한 열기가 느껴졌다. 긴 생머리의 십대 여자애가 아주머니 옆에 앉아 그림을 그리고 있었다.

"수진 할머니 손녀분 맞죠?"

나는 가방을 옮겨 들며 고개를 끄덕였다. 아주머니는 따뜻한 비스킷 두 개를 건네주었다.

"요새 자주 오네요."

"……네."

"잘 설득해서, 할머니 다음달에는 꼭 수술 받으시게 해요. 자꾸 미루다보면 나중에 손쓸 수 없게 될지도 모르는데."

나는 이야기를 들으며 여자애의 스케치북을 흘긋흘긋 바라보았다. 여자애는 흰 도화지에 구불구불하게 얽힌 선들을 그리고 있었다. 무슨 형상인지 알아볼 수 없는 그림이었다.

날카로운 타이머 소리가 울리자 남자가 장갑을 끼고 오븐의 철판을 꺼냈다. 노란색 동물 모양 쿠키에서 김이 모락모락 올라왔다. 간호사 아주머니가 쿠키를 접시에 나눠 담았다. 남자는 철판을 비우자마자 등을 돌리고 다시 반죽을 시작했다.

"그럼, 나중에 뵐게요."

인사를 하고 자리에서 일어났을 때, 여자애의 스케치북이 한눈에 들어왔다. 그제야 그 그림을 이해할 수 있었다. 사방으로 터지는 물방울 속에 어지러운 소용돌이. 그것은 파도와 함께 부서지는 새하얀 포말들을 그린 것이었다.

할머니 방의 살림은 침대와 탁자, 안락의자 하나가 전부였다. 나는 침대밑에 앉아 한참 동안 시계의 초침 소리를 듣고 있었다. 창문으로 바닷바람이 들어왔다. 여자애가 그린 파도의 잔영이 사라지지 않았다.

이곳에 머무르는 사람들은 모두 신경계에 문제를 안고 있었다. 원장 할아버지 자신도 지각신경계 질환에 오랫동안 시달린 환자라고 했다. 원장은 자신과 같은 환자들에게 필요한 것이 무

220

엇인지 잘 알고 있었다. 요양원은 병원 치료가 시급한 환자들을 받지 않는 대신, 이곳에 들어오는 사람들에 대해서는 완전히 자율적인 생활을 허용하고 있었다.

처음 이곳을 찾아낸 사람은 언니였다. 호주 시댁의 압력에 못 이겨 먼저 출국을 하게 된 언니는 전국의 요양원을 전부 뒤져서 이곳을 찾아냈다. 원래는 할머니의 수술 후 함께 떠날 계획이었지만 할머니의 고집을 꺾을 수 없었다.

할머니는 언니가 권하는 수술도 이민도 원치 않았다. 언니는 매일같이 전화를 걸어왔지만 해결점을 찾지 못했다. 언니는 이제 억지로라도 할머니를 수술대에 올리려 하고 있었다.

텃밭에 돌아갔을 때 할머니는 여전히 고추를 따고 있었다. 나는 그늘 아래 편평한 곳에 자리를 잡고 책을 펼쳤다. 햇볕을 피해 앉자 나른한 기분이 들었다. 할머니의 허밍소리가 나지막하게 들려왔다. 나무둥치에 기대자마자 곧 책의 글자가 가물가물해졌다. 오래 전 그 노래를 들었던 기억들이 떠올랐다.


저 사람은 가짜야.

열한 살의 언니는 그렇게 선언하고 할머니를 투명인간처럼 취급했다. 할머니가 가져다준 옷도 입지 않고, 할머니가 해준 밥도 먹지 않았다. 동생인 내가 할머니를 곧잘 따라다니자 심술이 나서 더 그악하게 굴었는지도 모른다. 할머니가 빤히 방에 있는데도 여긴 아무도 없잖아, 라고 말했고 할머니 신발 위에 자기 신발을 얹어놓았다.

내일은 준비물값이 이만원이야.

필요한 것이 있을 때마다 언니는 공연히 내게 와서 말을 했다. 할머니가 허리주머니를 뒤져 돈을 꺼내주면 내가 그것을 언니에게 전했다. 언니는 일인극을 하는 사람처럼 허공에 대고 떠들어댔다. 계속되는 언니의 연기에도 할머니는 별말을 하지 않았다.

할머니는 언니가 매일 밤 자다 일어나서 냉장고를 뒤진다는 것을 알고 있었다. 부모님의 사고 이후로 언니는 옆에 사람이 있을 땐 아무것도 먹지 않았다. 온종일 물 한 모금 마시지 않는 날도 있었다. 모두가 잠들고 나면 언니는 잠옷 바람으로 냉장고 앞에 다가가 눈도 뜨지 않고 차디찬 음식들을 꺼내 먹었다.

어느 날 자정, 언제나처럼 언니가 자리에서 일어났을 때 할머니는 식탁의 불을 켰다. 식탁 위에는 김이 모락모락 올라오는 음식이 차려져 있었다. 언니는 입술을 꽉 깨물고 허공을 노려보았다. 할머니는 수프 접시 위에 수저를 얹으면서 조용히 말했다.

어서 먹어. 어차피 나는 없는 사람 아니냐.

언니는 할머니를 쳐다봤다.

나는 모르는 척 눈을 감고 누워 있었다. 곧 그릇에 수저가 부딪히는 소리, 사레에 걸려 기침을 하는 소리, 물을 삼키는 소리가 들렸다. 두 사람은 서로 아무 말도 하지 않았다.

222

"막내야."

부드럽게 어깨를 흔드는 손길에 잠에서 깼다. 할머니가 나를 내려다보고 있었다. 질척이는 진흙 속에 묻힌 것처럼 몸이 무거웠다. 할머니는 밀짚모자를 벗어서 내 머리 위로 그늘을 드리워줬다.

"언제 왔니?"

나는 자리에서 일어나며 아까, 라고 짧게 대답했다. 말간 할머니의 표정을 보니 이상하게 화가 치밀었다. 할머니는 빠르게 걷는 나를 쫓아오며 주중에 다녀온 소풍 얘기며 요양원에 놀러 온 친구들 소식을 줄줄이 늘어놓았다. 나는 입을 다물고만 있었다.

간단한 저녁을 먹고 침대에 누웠을 때 창밖에서 비가 내리기 시작했다. 내게 끊임없이 말을 건네던 할머니는 마른기침을 하고 잠이 들었다. 할머니의 숨소리가 색색, 공기중으로 퍼졌다. 침대에 누운 할머니를 바라보고 있으니 꼭 낯선 사람 같았다.

할머니한테 화가 날 때마다, 나는 그 생각을 하곤 했다. '엄밀하게 말하면 이 노파는 나의 할머니가 아니다.'

할머니가 할아버지의 아내로 살았던 것은 까마득히 오래 전의 일이었다. 전부 세어보면 열흘도 되지 않을 만큼 짧은 시간. 할머니는 조각조각의 기억을 이어붙이듯 때때로 그 이야기를 했다.

할아버지는 전국을 떠돌다 일 년에 한두 번 그 앞을 지나칠 때나 집에 들어와보는 사람이었다. 할머니는 남편의 발길에서 바람이 잦아들기를 빌고 또 빌었다. 기도의 효험이었는지 할아버지의 발길은 곧 한 곳에 멈춰 섰지만, 그곳이 할머니 옆은 아니었다.

할머니는 아버지를 딱 한 번 볼 기회가 있었다. 이혼 절차를 마무리짓기 위해 나간 법원 앞의 찻집에서였다. 할아버지는 당시 고등학생이었던 아버지를 데리고 나왔다. 아버지는 몸이 약하고 다정한 사람이었다. 그는 할머니의 커피에 설탕을 넣고 둥글게, 오랫동안 저어주었다. 할머니는 집으로 돌아오면서 아버지의 이름을 혼자 말해보았다.

이혼을 해서 혼자가 되었다고는 할 수 없었다. 할머니는 오래 전부터 혼자였다. 덜어낸 것은 제사상을 차리는 책임뿐이었다. 그것도 이십여 년 해온 일이었기 때문에 날이 돌아오면 홀로 음식을 만들어서 상다리가 부러지게 차려 먹었다.

할머니는 노점에서 과일을 팔다가 국수를 팔았고, 돈을 좀 모아 점포를 얻게 되자 아동복 장사를 시작했다. 할머니는 아이들 물건을 보는 안목이 있었다. 오랜 갈망 때문이었을 것이다. 할머니는 누구보다 일찍 일어나서 물건을 해오고 다른 가게보다 싼 값으로 늦게까지 문을 열었다. 두어 명의 남자가 깃들일 뻔도 했으나 마지막엔 어긋나고 말았다. 할머니는 매일 도시락으로 두 끼를 먹고, 사흘에 한 번 저금을 하고, 한 달에 두 번 휴일에는 목욕탕엘 갔다.

상황이 달라진 것은 경찰에게서 전화가 걸려온 어느 날 오후

224

부터였다. 맡아줄 친척이 없는 언니와 나를 보호하고 있던 경찰은 할머니에게 자초지종을 설명했다.

애들이 몇살이라고요?

도시락을 먹고 있던 할머니는 멍하니 경찰에게 되물었다.

열한 살, 일곱 살이요.

할머니는 가게에서 팔고 있는 자그만 원피스들을 가만히 바라보았다.

우리가 집에 온 뒤 할머니는 더 오랜 시간 일을 해야 했다. 할머니는 한동안 우리 이름을 뒤바꿔서 불렀다. 피곤하면 입가가 허옇게 부풀어올라서 언니와 내가 도날드덕이라고 놀려대곤 했다.

몸이 아프거나 잠이 오지 않을 때, 오래 전 얼룩졌던 감정들이 희미하게 되살아날 때, 할머니는 찬장의 모과주를 홀짝댔다.

그리고 노래를 불렀다. 귀를 기울여 듣지 않으면 울음이라는 것을 알아채지 못할 만큼 잔잔하고, 가는 목소리였다. 노랫소리가 들리면 어쩐지 할머니가 낯선 사람처럼 느껴졌다. 내가 알 수 없는 감정, 시간, 과거가 그 안에 있었다. 그때마다 온 세상이 낯설어져서 나는 머리 위로 담요를 뒤집어쓰곤 했다.

언니와 나는 차례로 상급학교에 진학하고, 스무 살을 통과해갔다. 할머니의 키가 줄어들면서 우리의 키가 자랐다. 그것은 부당한 교환처럼 보였다.

최근에 윤과 나는 쉽없이 다투었다. 알람시계를 꺼놓은 것에 대해, 물건을 제자리에 두지 않는 것에 대해, 퇴근길에 먼저 전화를 하지 않은 것에 대해 새벽까지 말다툼을 하곤 했다. 그가 완전히 질려버릴 때까지 나는 새파랗게 날이 선 말을 계속했다. 서로 논리를 따지다가 앞뒤가 뒤엉켜버리면 원래의 초점에서 완전히 벗어난 비난을 늘어놓았다.

불안 때문이었다. 의미 없는 시비를 가리는 데 혈안이 되어 있던 나도, 문제가 아닌 문제에 변명을 하느라 진을 빼버린 그도 불안에 젖어 있었다. 어느 쪽이든 확실한 것이 있었다면 그처럼 힘이 들지는 않았을 것이다.

그는 막을 통과하려는 사람처럼 내 몸을 밀어붙였다. 행위가 끝나고 나면 내 몸에 봉제선이 남은 것 같은 기분이었다. 서로의 뺨이 부딪힐 때 그는 '모르겠어'라고 말했다. 그는 아프지 않게 내 어깨를 물었다. 가슬가슬하게 마른 입술을 느낄 수 있었다. 그는 어둠 속에서 불규칙한 숨소리를 내며 잠들었다. 창밖의 불빛을 바라보고 있으면 아주 작은 배 위에 서 있는 것 같은 기분이 들었다. 목적지가 어디였는지, 처음부터 그곳에 가고 싶었던 것인지 의문이 들었다. 뒤척이다 눈을 뜬 다음날이면 더욱 귓가가 먹먹해졌다.

밤새 내린 비가 아침에는 말끔히 개었다. 열린 창문으로 젖은 흙의 향기가 밀려들어왔다. 할머니의 침대가 비어 있는 걸 본

226

나는 아래층으로 내려갔다. 계단에서 만난 옆방 여자가 할머니 있는 곳을 알려주었다.

"매일 아침 바닷길로 산책을 나가세요."

여자는 건물 뒤쪽에서 해안으로 들어가는 길을 가리켜 보였다. 현관문 앞에 섰을 때 빗방울이 한 방울 콧등으로 떨어졌다. 순간, 부엌에서 뭔가가 폭발하는 소리가 들렸다. 희미하게 지반이 흔들렸다.

순식간에 사람들이 몰려들었다. 원장 할아버지가 무리를 제치며 부엌으로 달려들어갔다.

"무슨 일이에요?"

복도 밖으로 그을음과 연기가 새어나오고 있었다. 간호사 아주머니가 발을 구르며 창문 안을 들여다보았다.

"오븐에 불이 붙었대요."

검은 연기 사이로 소화기가 분사되는 소리가 났다. 곧 콜록대는 소리와 함께 전날의 비스킷 굽던 남자가 원장과 함께 비틀거리며 부엌문으로 나왔다. 남자의 앞치마 천조각이 너덜너덜해져 있었다. 두 사람 모두 부상을 입은 것 같지는 않았다.

"제 잘못이에요. 잠깐 볼일이 있어서 자리를 비운다는 게……"

간호사 아주머니가 서둘러 남자를 부축하고 나섰다. 남자는 침울한 듯 무표정하게 시선을 내려뜨렸다. 원장 할아버지가 고개를 저었다.

"밀가루가 다 떨어진 게 문제였지."

남자는 기름에 적신 휴지를 돌돌 말아서 버터와 생크림을 바른 후, 가스오븐에 넣었다고 했다.

"밀가루가 충분해야 한다고, 그렇게 말했는데."

원장 할아버지는 자책하듯 이마를 문질러댔다.

"내 잘못입니다. 미안해요."

원장은 남자를 향해서 고개를 숙였다.

직원들 몇 명이 깨진 유리창을 조심스럽게 들어내기 시작했다. 그때까지 마냥 서서 지켜보고 있던 나는 원장 할아버지와 눈이 마주쳤다.

그을음이 묻은 문 앞에 서서, 원장 할아버지는 내게 악수를 청했다. 올이 풀린 낡은 셔츠 소매가 눈에 들어왔다. 그는 최근 나의 잦은 방문으로 할머니의 컨디션이 무척 좋아졌다고 말했다.

"그러니까 당분간은 그냥 지켜봐달라고 부탁해주세요."

나는 무슨 말인지 알아듣지 못하고 눈을 깜빡거렸다. 원장 할아버지는 한숨을 내쉬었다.

"병원에서 두 번이나 차가 왔어요."

언니가 보낸 병원차가 요양원 앞까지 왔다가 그냥 돌아갔다는 것이었다. 그때마다 할머니는 문을 잠그고 밥도 먹지 않았다고 했다.

"이제 정말 지치신 것 같아요."

원장 할아버지는 부드러운 목소리로 말했다. 나는 자그맣게

228

고개를 끄덕였다. 넓은 창문이 뻥 뚫린 부엌은 폐허처럼 보였다. 이야기를 다 들은 나는 옷을 털고 일어나 할머니를 찾으러 갔다. 부엌에서 꽤 떨어진 곳에서도 깨진 유리 조각이 밟혔다.

바다로 통하는 길은 서늘하고 조용했다. 나는 이끼로 뒤덮인 길을 걸어가며 축축하게 젖은 바위들을 내려다보았다.

오른쪽 길로 계속해서 걸어가면 버려진 나룻배가 하나 보인다고 했는데, 아무것도 찾을 수 없었다. 불안한 생각이 들기 시작했을 때, 멀지 않은 곳에 선 할머니가 눈에 띄었다. 할머니는 커다란 아이보리색 스카프를 두르고 있었다. 나는 아이처럼 그 옆으로 달려갔다.

"오늘은 기분이 좀 나아 보이네?"

나는 입을 꾹 다물었다. 할머니의 물기 없이 마른 손이 내 손을 찾아 쥐었다. 물결 같은 주름들. 나는 손에 힘을 주었다. 그곳에서는 바다로 이어지는 방파제가 보였다. 멀리서 희미하게 파도치는 소리가 들렸다.

"열여섯 살에, 바닷가에 처음 가봤단다."

할머니가 말했다.

"어제 말이다. 동생들을 데리고 어머니를 보러 영광에 갔던 일이 떠올랐거든."

할머니는 고개를 기울이며 눈을 감았다.

"그런 건 처음이었어. 끝없는 모래, 푸르고 짙은 물결, 그 갈

매기들…… 그때 나는 갓난아기인 동생을 업고 나머지 두 명의 동생 손을 잡았는데, 자꾸 발이 모래 속에 폭폭 빠졌어. 어린것들은 재미있어서 키득거리고 웃는데, 나는 그저 걱정이 되기만 했지. 어머니가 왜 왔냐고 야단을 치면 어떻게 하나. 어머니는 우리를 고향에 맡기고 돈을 벌러 떠나 계셨거든. 어머니는 무척 엄격한 분이셨어."

할머니는 스카프 끝자락을 만지작거렸다.

"……물어물어 간 집 안에 낯모를 사람들이 가득했어. 아마 장에서 같이 일을 하는 사람들이었던 것 같아. 어머니는 나를 보고 놀라서 눈을 끔벅거리더니, 먼저 포대기를 풀어서 아기를 받아들었어. 동생 둘이 엉거주춤 어머니 치마폭에 안겼지. 어머니는 화를 내지 않았어. 우리를 하나하나 데려가서 직접 손을 씻겼지. 손으로 땅을 짚고 왔냐, 하시면서. 추석을 앞둔 때라 당신도 우리가 그리웠던 거야."

할머니는 희미하게 미소를 지었다.

"까맣게 잊어버린 줄 알았는데 아주 생생했어."

바람에 나뭇잎 두어 장이 땅으로 떨어졌다. 할머니는 땅바닥을 바라보았다.

"내 삶은 늘 어딘가 텅 비어 있었단다. 나는 항상 내가 절름발이처럼 느껴졌어. 그런데 기억이 늘어날수록 내 삶이, 이해가 돼. 구겨져서 보이지 않았던 부분들까지."

할머니는 잠시 짬을 두고 자그맣게 말했다.

230

"나는 구름처럼 높은 곳에서 나를 바라본단다."

엉망이 된 부엌 때문에 사람들은 앞뜰 탁자에 아침상을 차렸다. 앞치마를 바꿔 입은 남자가 참치샌드위치를 만들었다. 손끝에 온 정신을 집중하고 있는 그의 모습이 너무나 차분해 보여서 아침에 그 소란을 일으킨 사람이라고는 믿어지지 않았다.

일요일 오전이었다. 한적한 숲의 양쪽 길로 전나무가 하늘 높이 솟아 있었다. 수풀 위로 아침의 볕이 가득 들어찼다. 삼삼오오 모여 앉은 사람들은 샌드위치를 나눠 먹으면서 잡담을 나누었다. 평안하고 유쾌해 보였지만, 그들 모두 자신이 한순간에 무너져 조각날 수 있다는 걸 알고 있었다. 무기력한 선량함이 그들의 창백한 얼굴 위에 드리워져 있었다.

그게 진짜 외로움이죠.

언젠가 원장 할아버지는 요양원 환자들의 가족 앞에서 말했다.

분열에 대한 두려움 때문에 존재가 한없이 가늘어지는 것 말입니다.

멀찍이 앉아 있던 긴 머리의 여자애가 조심스레 내게 다가와 할머니를 그려도 되냐고 물었다. 나는 깜짝 놀라 물론, 이라고 대답했다.

긴장한 표정의 할머니는 먼 곳을 응시하며 포즈를 잡았다. 스케치가 막 시작됐을 때, 나는 짐을 가지러 방으로 들어갔다.

"벌써 가요? 늘 저녁 먹고 갔잖아요."

간호사 아주머니가 의아하다는 듯 물었다.

"오늘은 약속이 있어서요."

나는 먼 곳에서 할머니에게 입 모양으로 인사를 전했다. 할머니는 눈에 띄지 않게 손가락을 움직였다. 다음에 올 때는 완성된 그림을 볼 수 있으리라.

나는 속도를 내서 서울로 차를 몰았다. 액셀을 밟으며 이리저리 차선을 바꾸는 바람에, 여기저기서 욕설과 경적 소리를 들었다. 덕분에 저녁이 되기 전에 서울에 도착할 수 있었다.

아파트 상가에 들어온 나는 주차장에 차를 세우고 카페에서 커피를 주문했다. 이사 온 뒤 매일 즐겨 찾던 카페였다. 친숙해진 향기를 천천히, 오랫동안 음미했다. 머릿속이 점차 맑아졌다.

커피 한 잔을 다 마신 나는 바깥으로 나왔다. 상가 앞의 도로는 오가는 사람들로 분주했다. 나는 주차장 옆 하얀 벤치에 앉았다. 곧 건물 안의 풍경이 희미하게 눈에 들어왔다.

밝은 주황빛 조명 아래 있는 윤을 찾아내기는 어렵지 않았다. 그는 언제나처럼 창가 쪽 테이블에 자리를 잡고 있었다. 그의 옆에 딸애가, 맞은편에는 아내와 아들이 앉아 있는 것이 보였다. 아이들은 파스타를 먹고 있었고 그는 아내와 스테이크에 와인을 마시고 있었다. 나는 그의 입술과 눈동자를 바라보았다.

딸애가 붉은 소스를 옷에 흘리자 그는 아, 하고 소리를 내질렀다. 윤이 꼼꼼히 얼룩을 닦아내는 동안 딸애는 얌전히 손을 내리고 있었다. 누군가 우스갯소리를 했는지 네 사람이 동시에,

232

어색하게 웃었다. 윤은 짙은 회색 카디건을 입고 있었다. 그는 팔을 뻗어 아내와 자신의 잔에 와인을 따랐다. 그는 웃으면서 가끔 이마를 찡긋거렸다.

지난겨울 그와 함께 오페라 공연에 갔던 일이 떠올랐다. 그때도 그는 저 회색 옷을 입고 있었다. 공연장 밖에는 함박눈이 내리고 있었다. 그는 시를 읊듯이 내게 가사를 일러주었다. 사랑은 장밋빛 날개를 타고, 어리석은 나의 삶으로. 무대에서 흘러내려오는 드라이아이스의 알싸한 향기 속에서 그의 속삭임이 내게 전해졌다.

상가 앞은 소음이 많은 편이었다. 멀리서 누군가의 이름을 부르는 소리, 피아노를 두드리는 소리, 식당의 부엌에서 새어나오는 소리가 엇갈려 들렸다. 롤러블레이드를 탄 한 무리의 아이들이 거리 위를 몰려다니고 있었다.

사람들이 내 앞을 스치고 지나갈 때마다 시야에서 윤이 사라졌다. 그의 어깨, 머리카락, 뻗은 두 손만 보였다. 마치 퍼즐 조각 같았다. 그는 나타나고, 지워졌다. 나는 움직이지 않고 그 자리에 앉아 있었다. 거리의 인파가 늘어나자 그는 점차 희미하게 사라졌다.

재킷 주머니에 손을 넣은 나는 그 안에 작은 구멍이 뚫린 것을 느꼈다. 구멍 안에 손가락을 밀어넣자 뭔가 잡히는 것이 있었다. 오래 전에 잃어버린 줄 알았던 은색 팔찌였다. 간질간질한 느낌에, 재채기가 나왔다.

나는 자리에서 일어났다. 어느새 주위가 어둑어둑해져 있었다. 나는 호수 반대쪽을 향했다. 익숙한 길에서 벗어날수록 온몸이 팽팽해지는 기분이었다. 길을 걸어가는데 얼마 전에 들었던 이상한 대답들이 떠올랐다. '휴일의 여가활용' 설문 중에 나온 대답들이었다.

'주말에는 그주에 주워온 돌멩이들을 씻어요.' '구름의 모양을 기록하죠.' '알몸으로 낮잠을 자요.' '버려진 구두를 찾으러 다닙니다.'

망설이며 말을 잇던 사람들의 목소리와 더듬거림, 숨소리가 신기하리만치 또렷하게 생각났다. 나는 그들의 목소리를 따라갔다. 먼 곳에서 호수가 검게 빛나고 있었다. 자그맣게 입술이 들썩거렸다. 어디서도 들어본 적 없는 낯선 멜로디가 흘러나왔다.

해설

# 바람에 반짝이는 물은 돌처럼 굳지 않으리
### —정한아 소설의 상상구조

차미령(문학평론가)

## 전파의 저편

당신은 안녕한가요. 그들의 근황을 타진해본다. 채 지워지지 않은 과거의 자취들과 크고 작은 근심이 직조해낸 아픈 무늬들에 먼저 마음이 쓰이는 것이다. 성과 연령을 가릴 것 없이 정한아의 인물들은 버려짐의 감각 속에서 인생의 이치를 터득한다. 여성작가의 소설에서 광범위하게 목격되는 유기(遺棄)에 대한 불안은 정한아 소설에서도 자주 포착된다. 아이들은 태어나자마자, 혹은 조금 더 자라서 부모들로부터 버려진다. 후일 누군가에 의해 다시 양육된다 한들 그때의 막막한 기다림이 가시어질 수 있겠는가. 무심히 감내해야 할 그런 삶의 자국들은 다 자란 어른이라고 예외일 수 없다. 가족들은 그들 중 누군가가 영영 사라져버린 끔찍한 고통을 견뎌야 하고, 애틋한 감정의 씨앗을 품게 한 이는 아무런 예고 없이 증발하거나 표정 없는 얼굴로 결별을 선언한다. 그들의 일상에 흔적처럼 새겨진 강박적인 행동들—수시로 손을 씻거나 부지중 손톱을 깨무는 것에서부터 주머니 속 작은 조각을 습관적으로 만지는 것까지—은 돌이킬 수 없는 상실이 초래한 불안의 파편들과 조금씩 맞닿아 있다.

그러니 이들은 정처 없이 되물을 수밖에 없었을 것이다. ……당신은 어디에? 누군가에게 있다고 기대된 연정이 작은 오해에 불과한 것으로 밝혀지는 경우도 있지만, 대개의 인물들은 지친 마음을 잠시라도 기댈 수 있는 누군가의 어깨를 찾아 서성인다. 그러나 그런 시도는 쉽사리 성취되는 것이 아니어서 설령 어디에 있는지 알게 되고 또 이미 알고 있다 하더라도 그들은 더 뚫고 들어가기 힘든 여러 조건의 벽과 결국 마주하게 된다. 속절없는 꺾임에서 담담한 수락까지 이를 둘러싼 내면의 일렁임은 정한아 소설에서 다양한 각도로 추체험된다. 예컨대, 늦은 밤 고층 빌딩의 창문들을 바라보는 얼어붙은 마음의 자리들을 잠시 헤아려보는 것은 어떨까.

기약 없는 아비를 기다리며 "온종일 창밖으로 목을 내밀고 길거리를 내려다"보곤 했던 한 여자는 자신의 몸을 숱한 남자들에게 내놓아야 하는 비참한 시간을 "고층 빌딩의 창문들을 기준으로 세우고 마음속으로 하나둘 불을" 켜는 것으로 지탱하고(「아프리카」), 이미 냉담해진 연인과 짧은 식사를 하고 집을 나선 다

238

른 여자는 빌딩의 다른 창들이 퍼내는 빛 속으로 알아볼 수 없게 번져가는 연인의 창을 무연히 바라볼 뿐이며(「첼로 농장」), 처와 아들이 있는 사람과 기묘한 동거를 하고 있는 또다른 여자는 그 가족의 단란한 한때를 전시하는 "주상복합빌딩의 십구층 두번째 창문" 너머로 자신의 반쪽짜리 동거인이 희미하게 사라지는 것을 지켜본다(「휴일의 음악」). 이 도시의 고층 빌딩들은 빛나는 창들을 내어놓았지만, 정작 화려한 그 창 너머에서 그녀들 쪽으로 되돌아오는 응답은 없다.

정한아의 인물들에게 고층 빌딩의 창들만큼이나 쓸쓸함을 각인시키는 것을 꼽는다면, 먼 그대들과 닿고 싶어 인간이 고안한 전파 문명의 이기들 역시 빼놓을 수 없다. 정한아 소설에서 전화나 인터넷 따위는 답답하게 불통함으로써 그것들의 무용한 존재를 드러낸다. 중국에 일하러 온 청년은 한국의 연인과 단 한 번도 통화하지 못하며(「천막에서」), 한때 친밀했던 선배가 있는 이집트로 떠난 후배는 그에게 보낸 메일에 아무런 답신을 받지 못하고(「스톤피시를 바다로 보내줘」, 제25회 계명문화상 수상작), "전화 자주 할게"라는 말을 몇 번씩이나 남기고 가족과 외국으로 떠난 남자도, 그의 번호를 알고 있는 여자도 결코 전화를 주고받지는 않는다(「나를 위해 웃다」). 전화에 국한해 짚어보자면, 대화를 시작하기도 전에 저쪽에서 끊어버리는 상품 판매의 전화(「댄스댄스」)나 리서치를 위한 설문 전화(「휴일의 음악」), 파트타임 강사들의 일상을 수시로 방해하는 업무 명령을 담은 전화

(「마테의 맛」) 쪽이 이 작가가 생각하는 전화의 본질에 가깝다. 정한아 소설에서 그것은 일방적일 뿐 상호소통의 매개일 수 없으며, 그렇기에 오히려 자발적으로 거부되어야만 하는 어떤 것이다. 전파를 빌려 서로 기억되고 있음을 확인하고 싶은 편리한 유혹에서 벗어난 후에야, 정한아 소설의 인물들은 마음의 왕래를 꿈꾸며 새로운 여행의 짐을 꾸릴 수 있다. 비록 그 여행이 바로 그 사람, 바로 그 장소를 향한 것은 아니라 할지라도.

### 이미지의 다발들, 서정적인

지금까지의 스케치로만 본다면, 일단 상실로 인한 슬픔과 소통의 좌절에서 오는 고립감 등이 정한아 소설이 자아내는 정조의 한 단면을 구성한다고 지적할 수 있다. 현대적 삶에 수반되는 고독과 피로와 우울, 좀더 좁혀 말해 당대를 살아가는 한국인들을 제약하는 크고 작은 현실적 조건들과 거기서 발아하는 모종의 감정구조는 정한아 소설에서도 어렵지 않게 발견되는 것이다. 그리고 아마도 그런 연유로, 작가의 첫 소설과 더불어 거듭 지적되었듯이, 시들고 지친 삶을 씩씩하게 품어안을 줄 아는 이 작가 특유의 긍정적 제스처에 유독 많은 이들의 이목이 집중되었을 것이다.

그러나 이 명민한 작가의 글쓰기에 있는 고유한 매력이 인물

240

들을 둘러싼 상황적 조건이나, 그 조건들을 수락하고 승인하는 특정한 태도에 한정된다고 보기에는 아쉬운 점이 적지 않다. 그 긍정성이 어떻게 소설의 미학적 측면과 접합하고 있는지를 탐색하기 위해서는, 바꿔 말해 우리가 조금 더 정한아 소설의 심층으로 가까이 다가가기 위해서는, 소설을 감싸고 있는 이미지의 다발들을 충분히 음미해볼 필요가 있을 듯하다. 아닌게 아니라 이 작가는, 지면 곳곳에서 피어오르는 이미지를 함께 상상해가며 읽을 때 더 풍부해지는 소설들을 줄곧 써왔다. 가령 누군가가, 통화되지 않는 휴대폰의 화면이 고인 물 같다고 느낄 때, 혹은 변심한 연인의 집 골목에서 얼어갔던 하얀 자전거를 기억 속에서 끄집어낼 때, 혹은 낯선 멜로디를 흥얼거리며 걸어가는 저편으로 검게 빛나는 호수가 자리하고 있을 때, 그 장면들의 전언과 기묘하게 어우러지는 이미지는 어떤가. 마치 잘 빚어진 단편영화의 한 장면 앞에 있는 듯한 느낌을 뽑아내는 그것들 속엔 무언가 숨어 있다.

이미 『달의 바다』(문학동네, 2007)라는 단정한 데뷔작에서 작가는 우주의 황량한 물질로부터 바다를 감지하고 있거니와, 이러한 이미지는 정한아 소설에 수시로 출몰하며 고요한, 그러면서도 잊히지 않는 파문들을 빚어낸다. 정한아 소설의 개성이 눈트는 또하나의 지점은 거기로 추측되는데, 하얀 종이 위로 떨어진 한 방울 잉크처럼 서서히 번져가는 그 이미지들 안으로는 실망과 갈구와 체념과 희원이 서정적으로 교차하며 응축된다. 그러니 따라가볼 수밖에……

……소설집 첫머리의 양수로부터 출발해, 바다, 호수, 강, 시내 혹은 수영장과 같은 공간들과, 비, 홍수, 안개, 진눈깨비, 우박과 같은 기후현상들과, 땀과 눈물 등 몸이 토해내는 체액들과, 열기를 식히는 차가운 샤워 물이나 김이 피어오르는 뜨거운 열탕의 감촉들과, 물 위를 항해하는 배 혹은 물 안에서 잠영하는 물고기들의 운동까지를. 지금 이 글에서 우선 함께 더듬어가며 더불어 상상하려 하는 것은 정한아 소설 속 물의 흐름이다. 메마른 것들을 잔잔하게 적시며, 스미고, 얼룩지고, 부드럽게 번져나가는 물빛 무늬 속으로. 바람과 모래, 불과 바위와 섞이거나 그것들을 거스르며 아름다운 빛의 화음을 그려내는 정한아 소설의 물, 그 속으로.


### 돌, 뜨겁게 반짝이는

우리의 항해는 가벼운 돛을 달고, 그러나 뜨거운 쪽으로 먼저 탐침을 내리며 시작된다. 정한아 소설을 감싸고 있는 물의 흐름을 따라가기 위해서는 그보다 앞서 이 소설집에 출몰하는 열과 빛의 이미지를 탐구할 필요가 있다. 물질이 산소와 화합해 열과 빛을 내는 것이 불이다. 여기, 주위 사람들을 긴장시키는 위험신호로 수용되는 '불길'과 '불씨'들이 있다. 가령, 이웃의 신고를

242

받고 찾아온 소방수들은 '엄마'가 "솟아오른 불길"이라도 되는 것처럼 취급하며(「나를 위해 웃다」), 아이가 있는 남자와 결혼하려는 딸을 둔 어머니는 그 아이를 "불씨"에 비유하며 "어디로 튀어 불이라도 나면 전부 네 책임"이라는 말로 결혼을 만류한다(「의자」). 비단 비유의 차원만은 아니어서, 육체적인 열은 실제로 인물들을 궁지로 몰아넣는다. 「댄스댄스」의 아버지는 어린 날 찾아온 "고열"로 인해 장애인이 되며, 「아프리카」의 소녀는 "열에 들뜬 밤"이면 스스로의 체온에 놀라 잠에서 깨고, 「의자」의 한 목수는 젊었을 때 앓은 "열병"으로 인해 청력을 잃을 뻔하며, 마음이 떠난 남자는 "몸에 열이 있다"는 변명과 함께 찾아온 여인을 물리친다(「첼로 농장」).

몸 안을 휩싸는 열뿐 아니라 몸 바깥에서 끓어오르는 열들, 제대로 조율되지 못한 그 열기는 불화와 소동의 원인이 된다. "과열된 난방"으로 후텁지근한 공기는 폭력의 전주곡이나 다름없으며(「천막에서」), '오븐에 붙은 불'은 그을음과 연기만을 남기고 폭발해버린다(「휴일의 음악」). 아마도 이 소설집에서 이와 같은 열의 가장 강렬한 이미지는 「아프리카」에 인용된 아프리카 대륙의 탄생 배경에서 찾을 수 있을 듯하다. 비가 멈추고 "타는 듯한 고온이 시작"된 어느 날부터 땅은 급격히 건조해지고 그 대륙의 생물들은 진화와 멸종이라는 두 가지 선택지에 직면하게 된다. 「아프리카」의 일인칭 서술자 '나'가 스스로의 운명을 아프리카 생물들의 그것에 비춰보고 있다는 점을 고려한다면, 타는 듯한 고온은 정한아 소설의 비극적인 세계상의 일부를 이룬다고 볼 수 있다. 「아프리카」의 '나'는 말한다. 지금 그녀의 삶이 맨발로 "아주 뜨거운 징검다리"를 딛고 가는 일 같노라고.

이러한 열은 자연스럽게 건조, 탈색, 경직, 마비 등의 다른 계열의 현상들을 거느리게 되는데, 그 파장은 인물들에게 치명적인 내상을 남긴다. 「댄스댄스」에서 열병으로 인해 다리가 마비된 아버지의 사례는 다른 소설의 인물들이 겪는 경직과 마비를 추론하는 데 적절한 단서가 된다. 실연 후 공허감에 사로잡힌 한 인물은 그의 자매에 의해 "마네킹"에 비유되고, 인생의 지향점을 잃어가는 다른 인물의 팔다리는 "굳은 듯 경직"되어 있으며(「첼로 농장」), 상처(喪妻)한 또다른 인물은 새로운 데이트를 하는 순간에 흡사 "마비상태에 빠진 사람"처럼 한 박자씩 느린 반응을 보인다(「의자」).

유형이든 무형이든 간절히 바라는 것에 대한 뜨거운 갈구가 휩쓸고 간 자리는 저렇듯 딱딱하게 굳어 있으니…… 바꿔 말해, 정한아 소설에서 결국 인물들을 경화시키는 '열'은 '빛'을 향한 과거의 이끌림과 완전히 무관하다고 할 수 없다. 반짝이는 모조 보석에 "뜨거운 불길"이 갇혀 있다는 사실을 감지하는 한 인물(「댄스댄스」)은 정한아 소설에서 열과 빛, 그리고 돌의 함수관계를 우리에게 일러주고 있지 않은가.

굳이 따지자면 위와 같은 조합은 소설의 남성인물들에게서 더 두드러지게 포착된다. "늘 더 빛나는 것을 향해 손을 뻗는" 「마

244

테의 맛」의 아버지가 그러한 것처럼, 정한아 소설의 남성인물들은 대개 빛을 쫓는, 그리고 쫓아갔던 사람들이다. 이국을 배경으로 하는, 방황하는 청춘을 위한 송가 두 편은 이를 염두에 두고 읽을 때 더 날카롭게 음미된다. 「스톤피시를 바다로 보내줘」에서 '나'가 찾아간 선배는 과거 "환한 빛이 나오는 것처럼 삶의 한 지점에만 집중"하는 사람이었으며, 그가 자신의 꿈을 이야기할 때 떠오르는 "어떤 빛"은 다른 청춘들과 그를 뚜렷이 구별시켜주는 매혹이었다. 그러나 일 년 후 다시 조우한 선배는 어떠한가. '나'는 그에게서 "열기는 수그러들고, 불빛은 꺼져버"렸음을 금방 알아차린다.

### 견고한 빛, 단단한 물

그 제목이 간절하게 호소하고 있듯이, 「스톤피시를 바다로 보내줘」에서 빛이 꺼져버린 선배의 분신으로 등장하는 것은 수조의 '스톤피시' 곧, "붉은 돌 같은 물고기"이다. "견고한 빛"을 내뿜는 크리스털로 만들어진 수족관에 갇혀 있는 그 물고기는, 그것에 물려 "팔 전체가 마비될 뻔"한 위기 끝에 그가 바다에서 채집해온 것이다. 마치 「마테의 맛」에서 아르헨티나로 이민을 떠났던 가족의 쓰라린 꿈이 "붉은 벽돌집"이라는 메타포로 환원되듯이, 선배의 옛 열망은 물고기의 붉은 심상 속에 스며 있되

지금은 돌처럼 굳어버렸다. "암석의 조각"같이 아무런 움직임도 없는 그것—바로 그 자신—에 대해 선배는 다음과 같이 단언한다. "이제 살아 있지 않아."

그런 맥락에서 「첼로 농장」의 '유진'과 「스톤피시를 바다로 보내줘」의 선배는, 최소한 그들이 지나온 과거에 있어서 일란성 쌍생아라 해도 아무 무리가 없다. "어려서부터 줄곧, 한 방향으로만" 걸었노라 말하는 유진은 어느 날 "절대로 그 빛에 가 닿을 수 없다는 걸" 괴롭게 깨닫는다. 빛을 향한 그의 열망은 이제 "단단하게 굳은살"이 박인 그의 왼손에 응고되어 있을 뿐이다. 그러므로 두 소설에 제시된 캄캄한 '동굴'(「스톤피시를 바다로 보내줘」)과 '터널'(「첼로 농장」)은 그 끝에서 희미하게 감지되는 하나의 빛만을 쉼 없이 따라갔던 청춘들이 다다른, 막다른 현재에 대한 은유로 적절해 보인다.

하지만 정한아 소설에서 이와 같이 빛이 응고된 것들을 오로지 현실의 실패만이 아프게 스며 있는 것들이라 단정하기에는 아직 이르다. 인물들과 함께하는 그 물고기, 그 손은, 그들이 내뱉는 말들과 정확히 반대의 의미에서, 빛을 쫓았던 그들의 열망이 아직 완전히 사그라지지 않았음을 누설하는 어떤 것으로 이해해도 그리 지나치지 않다. 예를 들어 「스톤피시를 바다로 보내줘」의 선배가 자신의 좌절을 지금 여기 자신의 꿈에 "아무 고통이 없"다는 말로 정리할 때, 우리는 반대로 그가 돌의 시험을 겪고 있다고, 그 고난 없이는 그도 없다고 말해주고 싶지 않은

246

가. 정한아 소설에서 돌은 특히 그것의 어떤 성분을 감하거나 더하는 물에 의해 감싸여질 때, 의지의 결정체로 변신할 여백을 마련해놓고 있다.

문자 그대로의 '단단한 물'의 이미지는 「천막에서」의 '나'가 "처음 맞아보는 우박"에서 찾아볼 수 있다. 대학을 졸업한 후 "호수에 돌멩이를 던지듯이" 취업원서를 쏟아낸 그는 겨우 취직하여 중국 지사에 발령을 받지만, 곧 구조조정 광풍의 희생양이 된다. '나'의 추락은 그가 사직서를 쓰는 날 아침에 맞는 "작은 돌멩이 같은 우박" 속에 응집된다. 하지만 이 우박이 개시하는 하루는 갑작스레 던져진 깨달음의 하루로 갈무리된다.

작가는 서사가 진행되는 와중에 미스터리한 돌멩이 하나를 인물의 곁으로 운반해놓는다. 한국의 연인이 보내온 상자 속 "돌멩이"가 그것이다. 그것이 무슨 메시지인지 알 수 없던 '나'는 그날의 귀국길에서 갑자기 내린 비를 수선하게 피하면서 돌멩이를 깨뜨린다. '나'는 깨어진 돌의 "반짝이는 단면"에 비친 자신의 눈동자를 본다. 스스로를 반추하게 하는 그 돌은 연인과의 첫 관계맺음이라 할 만한 과거의 지점으로 그를 데려간다. 돌이 더이상 "돌멩이가 아닌 것처럼" 보이는, 빛(반짝임)과 물(비침)의 거울로 다가온 순간, 그는 자신이 준 상처로 울고 있던 어릴 적 연인의 모습을 불현듯 기억하게 된다. "그때 내가 그녀에게 용서를 빌었던가." 그 사실을 떠올린 후 '나'에게 다시 감각된 돌은 "놀랄 만큼 부드럽고, 매끄럽고, 따뜻"하며, 그는 그것으로부터

"살아 있는 것처럼 느껴지는 감촉"을 느낀다. 돌이라는 고체에 이렇듯 생명을 깃들게 한, 그 돌이 발산하는 감각을 새롭게 배치한 그것은 무엇이었을까.

## 물결들, 녹이고 번지며 지우기

「천막에서」의 부드럽고 따뜻한, 살아 있는 돌의 이미지는 정한아 소설 속 물의 이미지와 쉽게 포개진다. 물은 당연히도 '살아 있음', 즉 생명의 탄생과 성장에 직접적으로 관련한다. 「나를 위해 웃다」에서 '태아-엄마'를 감싸고 있는 양수는 정한아 소설에 등장하는 모든 물의 밑그림이라 해도 좋다. 갓 태어난 엄마는 "이것도 물질이라고 할 수 있을까"라는 외할머니의 물음 속에서 이 소설집의 상상력의 또다른 원천인 "바람과 물"의 결합물로 판정된다. 「나를 위해 웃다」는 성장의 테마가 가장 명시적으로 드러난 소설인데, 이 소설에서 엄마의 가파른 성장은 "물오른 나뭇가지"에 비유되며, 그녀는 '거인병'이라는 이웃의 진단을 받고 난 이후에도, 크게 되는 것만이 자신의 의지라고 다짐하며 예의 물을 마시러 간다. "물맛은 아주 개운하고 맑았다."

동일한 맥락에서 물의 거부는 생명의 거부를 뜻하기에, 가장 완강한 저항을 암시하기도 한다. 예컨대, 「휴일의 음악」에서 부모가 죽은 후 '가짜 할머니'에게 맡겨진 손녀가 "온종일 물 한

248

모금 마시지" 않는 것으로 그 할머니를 거부하는 것과 같이. 정황이 이와 같으니, 두 사람의 갈등이 해소되는 장면에는 그저 손녀가 "물을 삼키는 소리"가 있을 뿐, 다른 "아무 말"도 필요없다. 비단 이 삽화들만이 아니라, 몸을 달래기 위해 뜨거운 국물을 떠먹거나 목마른 이들이 한 모금의 찬물을 들이켜는 장면―「첼로 농장」의 '리사'라는 인물은 "1.5리터 물을 벌컥벌컥" 마실 정도인데 이러한 물의 섭취는 정한아 소설에서 작열하는 태양과 유기적인 연관 속에 있다―은 정한아 소설에서 심심치 않게 제시된다. 이러한 물의 운동이 몸 안이나 바깥이 아닌 메마른 육체의 표면에서 구현되는 경우도 물론 없지 않다.

「휴일의 음악」에서 서서히 생명이 소멸해가는 할머니의 손은 처음에는 "물기 없이 마른 손"으로 기술되지만, 이 소설의 서술자는 그 손에서도 기필코 "물결 같은 주름들"을 읽어내고야 마는 것이다. 그 할머니가 흘리는 눈물처럼, 또 노동에 지친 여인들의 마음을 달래는 "물결 같은 목소리의 여자들이 부르는 오페라"(「아프리카」)처럼, 정한아 소설에서 물의 결은 일상의 피로에 지치고 삶의 고통에 질식한 여인들을 위로하며 적신다. 그래서 그녀들은 따뜻하거나 차가운 물의 흐름 속으로 누구보다 자주 몸을 맡기곤 하는 것이겠지만, 그러한 물결이 삭막한 현실을 덮어두는 위안의 표상이 되는 것만은 아니다. 정한아 소설에서 잠시 엿보인 희망의 철회와 그것에 동반되는 매서운 각성은 때로 적시고 번지고 녹이는 물의 운동과 함께 온다.

이를테면 「마테의 맛」에서 강사 J에게 건 기대가 허망한 것이었음을 '그녀'가 알게 된 "순간" 발생한 한 사소한 사건을 보라. 맥주잔이 떨어져 그녀의 아이보리색 스커트에 묽은 액체가 번지지만 "스커트의 얼룩은 물로 닦을수록 더욱 선명하게 스며"든다. 이때 물로 쉽게 지워지지 않고 도리어 그것에 의해 더욱 선명해지는 얼룩은, 그녀가 품었던 모종의 감정이 더럽혀지고 그 변색을 그녀가 감당해야 할 순간이 왔음을 넌지시 일러준다. 한때 그녀의 마음을 일렁이게 했던 감정이 정리되었음을, 소설은 물기가 다 마른 "스커트가 바삭거"리는 것을 포착하는 것으로 대신한다.

이 짤막한 삽화가 일러주는 것처럼, 정한아 소설 속 여성인물들의 현실감각은 특기할 만한 데가 있다. 그녀들은 질기게 애원하는 대신, 마음을 다잡고 깨끗하게 포기하는 길을 택한다. 그러한 그녀들의 선택에는 그래도 삶은 계속된다는 범박한 진실 이상의 것이 숨어 있다. 수록소설 중 가장 어두운 그림자를 거느리고 있는 작품인 「아프리카」에서, 텔레비전의 사람 찾기 프로에 등장한 한 여자는 '나'를 버리고 간 어머니임이 암시(혹은 그 어머니가 환기)된다. 그러나 '나'는 결국 그 최초의 인연에 연연하지 않기로 한다. 소설의 끝자락에서 '목욕'을 마친 '나'는 "이별한 종들은 다시는 합쳐지지 않았다"라는 책의 내용을 떠올리며, 독자적으로 생존한 아프리카 생물의 선택을 최종적으로 수긍하는 것이다. 그런데 작가는 그런 그녀에게도 작은 사건 하나를 준비해두고 있다.

로션을 바른 후 '나'는 가방에 손을 넣어보다 "흠칫" 놀란다. 거기에는 목욕바구니에서 "흐른 물"에 젖은 수첩이 있다. 종이는 "죽처럼 흐물흐물 녹아버리"고, "펜으로 적어놓은 것들도 넓게 번져" 알아 볼 수 없다. 녹이고 번지는 물로 인해 용해된 내용이 정확하게 무엇인지는 파악하기 어렵지만, 거기에 있었을 일상의 기록은 거의 즉각적으로 고아로 자란 그녀의 삶과 관련된 어떤 것을 연상시킨다.

완전히 버려진 열한 살 무렵부터 "손님"들을 받는 지금까지 '나'에게 삶은 그저 견디는 것이었으리라. "가게"가 철거되고 "영업"이 끝난다 하더라도, 불법 안마시술소나 마사지숍으로 자리를 옮길 수밖에 없음을 '나'를 비롯한 '그녀들' 모두는 안다. 하지만 삶터를 무너뜨리는 포클레인에서 쇠똥구리쯤을 읽어내는 그녀들의 눈빛에는 체념도 공포도 없다. 그녀들은 가까이 덮쳐오는 비극을 먼 곳에서 바라보는 희극으로 치환시킨다. "나는 세상을 조금도 이해할 수 없었지만 왠지 지고 싶지는 않아서 입을 크게 벌리고 웃었다"라는 진술이 드러내듯이, 「아프리카」는 조금도 이해할 수 없는 세상에 맞서 스스로의 힘으로 살아남고자 하는 의지를 최종적으로 부각시킨다. 누군가에게 의존하는 수동성에서 다만 혼자의 발로 딛고 서려는 능동성으로의 전환은, (최소한 이 소설에서는) 그 모든 "팀플레이"에 대한 자각적인 거부로 귀결된다.

"물이 뚝뚝 떨어지는 수첩"을 한참 바라보다 휴지통에 던져넣은 후 바깥으로 나온 '나' 가 처음으로 보는 "보기 흉한 나무"는 스스로의 자아상에 가깝게 여겨진다. 그러나 그녀는 주머니 속에 손을 넣어 '심장'을 닮은 아프리카 대륙의 조각을 만지는 것을 잊지 않는다. 아프리카의 생물들처럼 그녀도 독자적으로, 살아, 남으리라. 이때 주위를 뜨겁게 비추며 사방을 선명하게 하는 것은 그녀의 팔뚝에도 생생하게 감각되는 '햇살'이다. 우리는 이렇게 다시, 또다른 빛, 햇살에 이르렀다. 이 해의 광선과 함께 다음 목적지 '바다'로 떠날 채비를 마친 듯하다.

### 바다 깊이, 물고기들

열이 물질을 액화시키는 성질도 있다는 사실을 상기한다면, 「천막에서」를 제외한 모든 수록작에서 인물들이 흘리는 '땀'이 그 예로 적절할 듯하다. 땀을 흘리고 또 식히는 것은 열을 덜어내는 것이나 다름없어서, 공기의 운동을 유도하는 선풍기, 에어컨디셔너, 스프링클러, 환풍기 등도 소설에 자주 등장한다. 그러한 열 가운데 자연의 열, 그러니까 '햇볕'에 조금 주의를 기울이기로 하자. 여름 바다가 항상 뜨거운 태양과 함께하는 것처럼, 정한아 소설에서 바다는 무엇보다 이글거리는 태양과 함께한다. 예컨대, 이집트(「스톤피시를 바다로 보내줘」)와 아르헨티나(「마테

252

의 맛」)와 이스라엘(「첼로 농장」)의 바닷가가 모두 그러하다. 그러나 그 주변을 열이 에워싸고 있다 할지라도 그 큰물 자체는 열이라기보다는 빛이다. '바다처럼 들어섰던 빛'이라는 표현이 이를 암시해주거니와, 설령 바닷물에 태양이 내리쬔다 하더라도 그것은 타는 듯한 '햇볕'이 아니라 "누군가의 손바닥이 몸을 덮은 것처럼 따뜻하고 보드라운 느낌"의 "햇살"(「스톤피시를 바다로 보내줘」) 곧, 광선으로 인물에게 감각된다.

「휴일의 음악」에서 할머니가 거처하는 요양원이 바닷가에 위치한 것에서 단적으로 알 수 있듯이, 또 「첼로 농장」의 리사가 아버지와의 행복한 한때를 "바다에서, 꼭 그때로 돌아간 것 같았어"라며 회억하듯이, 혹은 "여기는 숨이 막혀서 견딜 수 없"다던 「스톤피시를 바다로 보내줘」의 선배가 세계의 해안선을 훑어나갔듯이, 정한아 소설에서 바다는 소실된 과거의 행복과 찾으려는 미래의 전망이 교차하는 치유적인 공간이다. 하지만 이미 살펴본 것처럼, 바다를 찾아 떠났던 그 선배는 겨우 "숨만 내쉬고" 있는 상황에 처하지 않았던가. 그가 꿈꾸었던 자유는 모든 시간의 흐름이 정지하는 바다라는 "천국"에서 그만 자취를 감추어버린다. 「마테의 맛」에서 "우리는 왜 물속에서 못" 사느냐던, 이제는 세상에 존재하지 않는 '동생'의 물음은, 인간에게 숨을 주기도 하고 또 그 숨을 앗아가기도 하는 인류의 모태로서의 바다의 이중성을 뚜렷이 상기시킨다.

「스톤피시를 바다로 보내줘」가 그러하듯이, 정한아 소설에서 바다는 꿈의 다른 이름—정한아의 젊은이들이 떠나는 여행지가 주로 바다인 것은 우연이 아니다—이기도 한데, 그 꿈을 향해 내단 돛의 전망은 늘 그리 밝지 않거나 불투명한 것으로 드러난다. 「나를 위해 웃다」에서 사람들에게 처음으로 마음을 주었던 '엄마'가 "오랫동안 항해하고 싶었던 그 배"가 "얼마 못 가서서히 침몰"되는 것처럼, 또는 "아주 작은 배 위에 서 있는 것 같은 기분"이라 말하는 「휴일의 음악」의 '나'가 "목적지가 어디였는지, 처음부터 그곳에 가고 싶었던 것인지" 알 수 없어하는 것처럼. 부표를 잃고 표류하게 하거나 바닥없이 하강하게 하는 바다에는 희망과 기대가 거느릴 수밖에 없는 불안과 공포의 자락이 넓게 드리워져 있다. 바다는 말 그대로 그들의 생명을 완전히 앗아가버릴지도 모른다. 그러니 「아프리카」의 '나'가 새벽 두세시경의 고통스런 시간의 "하늘"을 보고 "깊은 바닷속의 색깔"을 떠올리며 "호흡이 가빠"오는 것도 무리는 아니다.

하늘과 바다가 상상 속에서 접합할 수 있는 것은 정한아의 인물들에게 바다란 수평적인 공간이라기보다는 수직적인 공간이기 때문이다. 부력과 중력을 모두 갖고 있는 바다에서 인물들이 감각하는 것은 넓이가 아닌 깊이다. 바다 위를 "둥둥" 부유하는 이미지도 종종 등장하지만, 정한아 소설에서 아무래도 더 예민하게 다가오는 것은 그 물의 인력이다. 마치 "스스로를 쪼개어내면서 성장한 엄마"가 "칠 일 동안 천천히 자궁 안으로 하강"하듯이(「나를 위해 웃다」), 바다는 인물들을 아래로, 아래로, 끌어당

254

긴다. 「스톤피시를 바다로 보내줘」에서 다이버인 선배에게 잠수를 배우는 '나'가 제일 먼저 전수받는 것은 "호흡법"으로, 숨쉬기를 익힌 후 그들은 "깊숙이, 더욱 깊숙이 물속으로" 내려간다.

첫번째 잠수에서 그들이 감각하는 오후의 바닷속은 캄캄하다. "한 줌의 빛도" 없는 동굴의 입구는 그 자체로 인물들을 빨아들이는 공격적인 물의 입, 곧 검은 심연으로서의 바다를 암유한다. 그러나 "한때는 떠나는 것만이 목표였던 그곳에서부터" 다시 시작하기 위해 집으로 향하려는 선배와 함께 야간에 감행된 두번째 잠수에서 상황은 반전된다.

그들을 감싸안는 한밤의 바다는 아래로 내려갈수록 냉기가 가시고 "조금씩 따뜻"해지며, 그 안에서 "진짜 밤"을 느끼는 '나'는 "눈부신 빛에 둘러싸여 있던 그 어떤 때보다 확실한 존재감"으로 스스로를 의식한다. 이윽고 "먹물처럼 까맣기만 했던 눈앞"이 트이고, 동굴의 입구에서 "빛"이 흘러나온다. 어둠과 냉기가 밝음과 온기로 자리바꿈할 때, 열망이 환멸로 퇴색해버린 선배의 손을 끌어당겨 그 빛을 보여주는 사람은 바로 '나'이다.

"거대한 물고기"가 되어 밤바다에 머무르는 두 사람의 형상에는, 수조 속에 갇혀 독을 뱉지도 못하고 주위의 것을 삼키지도 못하던 수조 속 스톤피시의 음영이 가시어 있다. 그렇다면 짧은 시간 다시 바다로 보내져, 동굴 저편에서 새어나오는 빛을 감각한 그들의 향후는 어떻게 될 것인가. 소설의 마지막 장면에서 선배와 작별한 '나'의 일행이 맞는 바다의 아침은 허망하지 않다. 다시는 손톱을 물어뜯지 않으려 결심하는 그녀에게서는 단정적으로, 또 멀어지는 그녀를 향해 무언가를 외치는 선배에게서는 암시적으로, 청춘의 서사는 그렇게 그 끝에서 다시 시작되는 것이다.

## 빗방울, 날개가 돋아

앞에서 잠깐 바다를 큰물이라 하기는 했지만, 사실 일반적으로 큰물은 쏟아져나와 범람하는 홍수를 가리킬 때 주로 쓰이는 말이다. 땅위의 삶을 일거에 삼켜버리며 무위로 만드는 그 큰물은 인간을 공격한다. 그러나 정한아 소설에서 인물들을 위협하는 심리적 표상으로서의 홍수는, 그 물을 오로지 그들만이 누릴 수 없거나 반대로 그들만이 피할 수 없다는, 세상에서 제외된 자의 의식으로부터 생성된다. "넘치고 흘러 홍수를 이루는 소모품들이 엄마에게는 일말의 소용도 없었다"(「나를 위해 웃다」)는 진술이나, "노아의 홍수"가 있다 하더라도 "방주에 안 태워줬을" 것(「아프리카」)이라는 서글픈 농담을 보면 그렇다. 거인 여자와 성을 파는 여자들은 그렇게 세계로부터 밀려난다.

사이클론이 서사 전개의 변수로 자리하는 「천막에서」는 범람하는 물이 자연의 폭력이 아니라 인간의 탐욕을 열어젖힌다는 사실을 다시금 일깨워준다. 아이들이 물에 떠내려가고 사람들이

256

시체가 떠다니는 강에서 물을 퍼마셔도, 고통받는 자들이 물처럼 넘쳐난다는 바로 그 사실 때문에, 그 사태는 위기에 처한 기업의 호재가 된다. 계약 연장을 하지 않겠다는 다국적 기업의 압력과 구호물자의 유통을 호소하는 구호단체들의 아우성 사이에서, 기업은 전자에는 단가를 인하하고 후자에는 인상하는 전략으로 생존을 꾀하는 것이다. 그런 까닭에 소설에서 비판적으로 묘사되는 것은 물의 흐름이 아니라 '방수포'의 거래를 이끌어내는 이윤의 흐름이다.

소설에서 '나'의 실직은 이 와중에 이루어지는데, 귀국길에 오른 그는 갑자기 "땅에 세차게 내리꽂"히는 비를 만난다. 비는 위에서 아래로 하강하는 것이지만, 「천막에서」의 마지막 장면에서 그의 팔뚝 위에 내려앉은 빗방울은 "투명한 새의 날개"와도 같은 상승의 힘을 간직한다. 그 물방울의 차가움이 그녀라는 타인의 고통을 반추하게 하는 "뜨거운 통증"으로 감각될 때, '나'는 냉혹한 회사를 벗어난 자신이 현재 진정 "가야 할 곳"을 깨닫는다.

정한아 소설에서 '비'는 하나의 징조로 기능할 때가 많으며, 더러는 내리는 비와 함께 모종의 사건 또한 시작된다. 가령, 「아프리카」와 「의자」에서 자신의 삶에 영향을 미친 전 세대 여인들의 현재와 과거에 대해, 그리고 스스로의 앞날에 대해 인물들이 눈뜨는 것은 비가 내리거나 그 비가 그친 바로 그날의 일이다. 아이를 찾는 어머니를 텔레비전을 통해 본 "그날, 아침부터 비가 내렸"고, '나'는 "일찌감치 눈을 떠서 잠을 이루지 못하고 있었"으며(「아프리카」), 또다른 '나'가 할머니의 혼수품이자 유품인 나무의자를 찾아 떠나는 날엔 "바짓단이 젖어들 정도"의 거센 비가 내려서, 그녀는 의자를 만든 목수를 그 빗속에서 조우한다(「의자」).

이미 어느 정도 드러났기를 바라지만, 정한아 소설의 발군의 매력은 "구구절절한 사연"(「아프리카」)을 늘어놓는 대신 불현듯 모든 것을 상상케 하는 다분히 암시적인 장면들에서 찾을 수 있다. 이 작가 소설의 많은 장면들이 그렇지만, 「의자」에서 비 내리는 숲이 연출하는 장면은 특히 인상적이다. 소설은 작고한 할머니와 목수의 인연에 대해 거의 아무런 언급을 하지 않는다. 할머니와 목수가 치러야 했던 슬픔과 행복은, 그 목수가 앓은 과거의 열병과, 그가 정성들여 깎은 나무의자와, 대목(大木)에서 소목(小木)으로의 그 인생의 거대한 전환과, "상처 입은 나무처럼" 흔들리는 현재 그의 얼굴 속에서, 단지 묵시될 뿐이다. 우리는 그 비 젖은 숲에서, 할아버지의 병수발로 지친 할머니가 고요히 쉴 수 있는 유일한 장소가 왜 그 나무의자 위여야만 했는지를 어렴풋이 헤아리게 된다.

그 역시 인생의 선택에 직면한 「의자」의 손녀가 걷는 빗길은 험하지만, 그녀는 외롭지도 두렵지도 않다. 숲을 적시는 비는 나무들에 작은 역동성을 선사한다. 할머니의 의자를 만든 목수와, 그 의자의 자취를 따라 숲까지 온 손녀의 조우를 지탱해주는 다음의 간결한 문장들을 보라. "그는 걸음을 멈추었다. 그리고 나를

258

바라보았다. 빗속에서 붉은빛을 띤 금색의 잎맥들이 반짝거렸다. 그와 나는 그렇게 잠시 한자리에 서 있었다." 바람과 비의 힘에 의해 나뭇잎들은 광물화되며, 그 잎맥의 반짝임은 두 사람의 말 없는 한순간에 엄숙한 아름다움을 부여한다. 이 만남 이후, '나' 는 어떤 선택을 하는가. 전처를 잃었던 약혼자와 생모를 잃었던 그의 아들, 고통으로 인해 쳐다볼 수조차 없었던 부자(父子)는 그녀를 중재자로 하여 서로의 존재를 다시 발견하게 된다. "그는 처음으로 아이를 바라보았다." 마치 목재가 될 나무가 "바람과 비를 충분히 겪어"야 하는 것처럼, 그녀도 그녀의 새로운 가족도 그렇게 서로를 조금씩 알아갈 것이다.

### 호흡의 심리학

이 소설집에서 누군가의 고통을 헤아리고 품어안는 소설이 비단 「천막에서」와 「의자」뿐인 것은 아니다. '나를 위해 웃다' 라는 이 소설집 표제작의 제목은 정한아라는 신인 작가의 출사표처럼 다가오는 구석이 있다. 이러한 자긍의 표명이란 한국소설의 감각으론 썩 친숙한 것이 아니다. 하지만 이 제목만으로, 오로지 자아의 안녕과 보호에 몰두하는 젊은 세대의 이기(利己)를 읽어 내려 한다면 곤란한 노릇이다. 정한아 소설의 젊은이들이 향해 해야 할 세상은 역시나 밝은 것이 아니다. 그들이 내단 돛에는 지울 수 없는 근심이 어리어 있으며, 그들이 모는 배는 때로 암초에 걸려 좌초하기도 한다. 하지만 그들은 덮쳐오는 세상의 파고에 조용히 맞서며, 비록 생이 아무리 어둡다 할지라도 결코 완전히 어두울 수는 없다는 진실을 가슴 깊이 간직한다. 정한아 소설의 '나'들은 대부분의 경우 가족을 위시한 타인의 삶을 들여다보고 매만지는 과정을 겪으며 이러한 진실을 깨달아가는 까닭에, 그들이 표명하는 자존에의 의지에는 더불어 사는 삶에 대한 자각이 알게 모르게 스미어 있기도 하다. 예의 「나를 위해 웃다」의 마지막 문장은 이러하다. "우리는 동시에 편안함을 느꼈다." "크게 되는 것만은 나의 의지"라 중얼거리며 자기를 포기하지 않는 엄마의 "심장박동" 소리가 있기에, 또다른 '태아-나' 역시 존재할 수 있다.

심장, 박동, 소리…… 정한아 소설에서 물(과 빛)의 상상력과 함께 빈번하게 포착되는 것이 있다면, 그것은 호흡의 상상력이다. 무심코 내뱉은 한숨을 비롯해서, 수록작 전부에서 인물들은 숨을 멈추고 또 내쉬기를 거듭한다. 사람의 신체에 국한해 볼 때, 숨을 쉬는 것과 심장이 뛰는 것은 분리해서 생각할 수 없지 않은가. "바위처럼 굳은 몸"의 노파가 더이상 "숨을 쉬지 않"는 것(「나를 위해 웃다」)처럼, 정한아 소설의 저변에 깔려 있는 호흡의 상상력은 석화되어 부동하는 것들을 은밀하게 의식한다.

공기는 물질적 측면에서 본다면 가장 보잘 것 없는 질료이지만, 운동의 측면에서 본다면 가장 빠르게 분산되는 역동적인 질

260

료이기도 하다. 우리가 숨을 쉴 때 호흡하는 것은 물론 공기다. 정한아의 인물들은 묵직하고, 흐리고, 후텁지근하고, 갑갑한, 한 작품의 표현을 빌리면 그런 "공기의 질"(「의자」)을 예민하게 받아들인다. 그들은 "깊은 숨을 쉬기"에 적절한 "시원하고 청명"한 공기를 찾으며(「댄스댄스」), 그렇게 호흡된 공기는 그들의 "폐부"에까지 감각된다(「마테의 맛」). 이는 인물들의 주변을 에워싼 공기들이 견딜 수 없이 갑갑한 때문이기도 한데, 그렇다고 해서 공기의 움직임을 뜻하는 바람이 정한아 소설에서 늘 환영받는 것만은 아니다. '얼음'(「천막에서」)과 '모래'(「의자」)에 비견되는 바람은 잔뜩 얼어붙은 마음과 황량하게 퇴색한 일상을 그대로 투영한다. 관습적인 용례에서 흔히 그러하듯이, 바람은 갈 데 없는 방황과 삶에 불어닥친 수난을 상징하기도 하는 것이다. 「아프리카」의 골목의 여인들에게 각설이 '솔'이 퇴장하며 들려주는 마지막 아리아는 〈부디 바람이 잠잠하기를〉이며, 「휴일의 음악」의 할머니는 "남편의 발길에서 바람이 잦아들기를 빌고 또 빌었"다. 그러나, 만약 그 바람이 불지 않았더라면⋯⋯

**파동은 그대의 심장으로 흘러**

그랬더라면, 정한아 소설의 또다른 움직임 역시 없었을 것이다. 정한아의 인물들에게 '노래'와 '춤'은 생명이 비어가는 부동(不動)에 반하는 움직임 그 자체로서의 '호흡'에 필적한다. 움직임이라는 사실이 쉽게 파악되는 쪽은 후자다. 이미 그 제목부터 움직임을 리드미컬하게 환기하고 있는 「댄스댄스」에서 한쪽 다리를 절어 동작이 자유롭지 않은 아버지가 "장애가 없는 것"처럼 느껴질 때는, 그가 가족을 태운 자전거 위에 있을 때이다. 과거 고아원에 맡겨둘 수밖에 없었던 큰딸에게 그러했듯이, 아버지는 고단한 삶에 시든 엄마를 위해 다시 페달을 밟는다. 그는 자신이 아닌 다른 남자를 심중에 두었던 그녀를 내치는 대신, 그럴 수밖에 없었던 그녀의 고통을 따뜻하게 위무한다.

변변한 직장도 없이 무능해만 보이는 「댄스댄스」의 아버지는 실상, 그 가족이 와해될 고비에 이를 때마다 식구들을 도닥이며 가정을 건사해낸 사람이 아니던가. 마침내 소설의 시간은 흘러, 찌는 듯한 여름이 가고 "참았던 숨을 내쉬듯" 가을이 온다. 소설의 말미에서 엄마의 막막한 공허를 감싸안았던 아버지는 딸에 의해 다시 감싸이는데, 이 소설에서 아버지의 '품위'를 최종적으로 완성하는 것은 그가 딸에게 그려준 "호숫가의 고성"이 아니라 그것을 "소중하게 간직"하며 아버지의 인생을 수용하는 바로 그 딸의 성숙한 시선이다. 소설의 서술자인 딸은 말한다. "아버지가 운전하는 자전거, 그 뒤에 앉은 엄마를 떠올릴 때면 나는 그게 아주 균형 잡힌 춤처럼 느껴졌"노라고. 이 순간에 이르면, "품위에 대해서라면, 언제나 아버지는 옳았다"는 소설의 마지막 전언에 기꺼이 공감하게 된다.

262

「댄스댄스」에서 다리가 불편한 아버지가 엄마를 태우고 모는 자전거, 그 이인무의 궤적에 비견할 수 있는 것은 「첼로 농장」에서 청각장애인인 할머니가 모는 커다란 차, 그 속을 때리는 소리의 진동이다. 당겨 말하면, 두 소설은 인간의 열려진 감각이란 실제의 지각력과는 무관하다는 사실을 깨우쳐준다. 「첼로 농장」에서 실의에 빠진 유진은 '나'에게 베토벤에 대해 이야기했다. 청력을 잃은 베토벤에게도 "언제나 음악이 들렸"지만, 자신에게는 "아무것도 들리지 않"는다고. 그러나 이 대목에 마음을 기울이기는 쉽지 않다. 천재를 알아보는 것은 허락되었으나 재능 자체는 허락되지 않은 범재의 슬픔은, 슬픈 만큼 익숙하니까. 익숙한 만큼, 안전하니까.

하지만 바로 다음 페이지에 등장하는 은발 할머니의 생기는, 그때까지 소설이 구축한 나른한 이미지를 단박에 뛰어넘으며 우리를 사로잡는다. 차에 탄 젊은이들은 의아해한다. 할머니가 음악을 트는 것에 양해를 구했기 때문이다. "듣지 못하는 거 아니었어?" 그러나 스피커에서 헤비메탈이 터져나오는 순간 그들은 알게 된다. 할머니는 지금 "진동으로 음악을 느끼"고 있음을. "몸을 흔드는 파동"은 승객들에게도 전이되어서 '나'는 "음악의 진동이 뱃속으로 스미는 것"을 감각한다. 그러므로 춤이 그러했듯이, 음악 역시 진동하여 파동을 만들어내는 움직임의 다발이 아닌가. 이 장면이 뿜어내는 생기는 말 그대로 살아 움직이는 존재들의 것이다.

바로 이 대목이 있었기에, 인물들이 모여 게임을 하는 소설의 마지막 장면도 힘을 얻었다. 그 장면에서 유진은 "물처럼 흐르는 음악"을 말한다. 그의 이야기는 쉼 없이 생장하며, 멈추지 않고 움직이는 것들의 어울림으로 아름답다. '만약 농장을 가질 수 있다면'이란 꼬리표는 말판의 출발지점에 놓여 있는 모든 말(馬)들에게 동일하게 붙어 있을진대, 그 꼬리표의 인간적인 이름이 희망이라면 유진은 자신만의 첼로를 아직 포기한 것이 아니리라.

진동으로 빚어져 파동으로 이어지는 소리들, 그러니까 그 모든 음악에 대해서라면, 「휴일의 음악」에서 숨처럼 코로 토해지는 할머니의 허밍소리 역시 쉽게 지나칠 수 없다. 할머니의 불운한 인생은 과거 노래와 눈물의 동시 분비라는 희귀한 증상을 낳았다. 일 년에 두세 번씩 그녀가 눈물을 흘리며 불렀던 그 노래는, 어릴 적 손녀에게 "공기보다 무거운 가스"를 생각게 했다. 노래와 눈물이 서로 얽혀들며 강화하는 것은 할머니의 슬픔이다. 그러하기에 "안개"처럼 바닥으로 가라앉는 그 젖은 노래는 "숨이 딱 막힐 것 같"을 때에야 비로소 사그라질 수밖에 없었을 것이다.

하지만 할머니가 현재 들려주는 허밍은, 과거의 노래와 같고도 다르다. 그 멜로디는 슬픈가. 그럴지도. 그 선율은 스스로를 위무하기 위한 것인가. 그럴지도. 그러나 자신을 가짜 할머니라 부르며 반항하던 손녀들까지 자신을 받아들인 현재에 다시 출몰

264

한 할머니의 증상은, 허밍과 동시에 과거로 빠져드는 회억을 동반한다. 수술로 완치될 수 있기에 가족들은 자신들이 이해할 수 없는 과거의 환각으로부터 할머니를 끌어내오고 싶어하지만, 그녀는 거부한다. 왜인가. 요양원으로 손녀가 찾아온 날 할머니는 말한다. 항상 "절름발이처럼 느껴"졌던 그녀의 삶 전체가 허밍을 할 때면 "구름처럼 높은 곳"에서 재구성된다고. 「댄스댄스」에서의 아버지의 자전거를 「휴일의 음악」에서 대신하는 것은 할머니의 허밍이다. "지금 여기"에서 인물을 다른 곳으로 움직여놓는 허밍은 슬픈 옛 노래들처럼 아래로 가라앉는 것이 아니라, 오히려 그녀를 저 위로 데려다놓고 그녀의 삶은 그 위에서 다시 새롭게 씌어진다.


### 바람에 반짝이는 물은 돌처럼 굳지 않으리

이 다시 쓰기는 정한아가 생각하는 예술의 힘과 닮아 있는 듯하다. 「아프리카」에서 각설이 솔이 "진짜처럼 실감"나는 "예술적인 화장"을 하고 춤을 추고 노래를 전할 때 '나'가 지친 마음을 추스를 수 있었던 것처럼, 전작 『달의 바다』에서 고모가 거짓말이라는 허구를 삶이라는 "진짜 이야기"의 출발점으로 이어놓았던 것처럼. 험한 세상에 귀를 잃고 다리를 잃고 바닥없이 전락한다 해도 춤추고 노래하고 꿈꾸기를 그치지 않을 것이라는 믿음이, 그 믿음으로 삶을 다시 시작하겠다는 작지만 강인한 의지가 이 작가에게는 있다. 몸을 경직시키고 마음을 마비시키는 세상을 거슬러 정한아는 마치 "흐르는 물처럼 머무르지 않고 돌아다"니는 소설의 한 인물(「천막에서」)처럼 정지하지 않고 끊임없이 흘러가야만 한다고, 그래야 빛을 잃지 않을 수 있다고 속삭인다. 그렇게 본다면 인간의 탄생까지 "원래 나의 자리"였던 곳을 향한 "긴 여행"(「나를 위해 웃다」)으로 치환하는 이 작가가 누구보다 여행을 사랑하는 것도 잘 이해되지 않는가. 정한아 소설의 여행은 귀환을 예비하지만, 여행을 마치고 돌아갈 곳은 언제나 그전과는 조금 다른 자리다. 그렇다면 이러한 자리 옮김을 가능케 하는 진원으로서, 또 우리의 여정의 마지막 차례로서, 언 몸을 녹게 하고 굳은 마음을 트이게 하는 감각의 힘을 짚어두어야 하지 싶다.

"좋은 마테 찻잎에서는 바람, 태양, 흙의 향취를 느낄 수 있다. 감각이 활짝 열려서, 미처 느낀 적 없었던 시간, 장소에까지가 닿는 것이다"라는 「마테의 맛」의 두 문장만큼 이 작가의 소설을 잘 대변해주는 진술도 달리 없으리라. 이 작가는 내지르는 대신 감추고 숨길 줄 알며, 또 감추고 숨기면서도 의뭉스럽지 않다. 이러한 숨김의 기술은 정한아 소설을 젊은 소설 중에서도 드물게 서정적으로 만드는데, 그 서정성의 비밀은 한껏 열려진 감각에서도 확인할 수 있다.

사람들은 고개를 저을지도 모른다. 미처 느낀 적 없는 무엇도,

266

또 그것을 향해 길을 터주는 감각도, 기묘하고 신기한 어떤 것이어서 평범한 존재인 자신들은 결코 경험할 수 없는 것이라고. 그러나 정한아에게 감각은 그런 것이 아니다. 말하자면 그것은 「의자」에서 볼 수 있듯이, "어디에나 있는, 눈에 띄지 않는 나무 의자"에서도 얻을 수 있는 것이며, 설령 의자가 지금 곁에 존재하지 않는다 해도 그 "몸에 스며드는 느낌"은 마음으로 환하게 감각할 수 있는 것이다. 「마테의 맛」「댄스댄스」「첼로 농장」 등의 소설이 일러주는 진실도 모두 그런 것이 아니던가. 그 작은 기미들은 이미 과거에서부터 지금까지 인물들과 함께 하고 있던 것인지도 모르지만, 그 사소한 발견은 그들이 남루한 일상을 다시 한번 살 수 있게 하는 작은 힘이 되어준다. 정한아의 소설에서 그러한 느낌의 전수는 전세대에서 후세대로 이어지는 종적인 형태로도, 혹은 동일한 세대가 나누어가는 횡적인 형태로도 드러나고 있다. 아버지와, 엄마와, 할머니의 말없는 가르침을 헤아리는 속에서, 혹은 방향 없이 헤매고 있는 친구와 동료와 연인의 맞잡은 손 안에서, 정한아의 젊은이들은 자신에게 이미 박탈되었다 넘겨짚은 어떤 것을 희미하게나마 다시 감각하는 것이다.

그러니 정한아의 가족서사와 성장서사는 날개가 꺾인 이들이 그 역시 상실과 고통을 앓은 적 있는 보통의 현인, 보통의 조력자들과 함께 느낌을 나누며 다시 하늘을 엿보게 되는 작은 구원의 서사이기도 하지 않은가. 그런데…… 잠깐, 가족과 청춘이 이 무대의 주연들이라니. 그럴 수밖에 없겠다. 아직 너무나 젊지 않은가. 젊기에 자신이 자라온 테두리에, 그리고 더 성숙할 수 있으리라는 작은 희망에, 몸을 실을 수밖에 없는 것이리라. 그러나 언제가 될지 알 수 없으나 그 테두리 밖으로 나가야 할 때가, 다시 출발점에 선 소설의 인물들처럼 짐을 꾸려 낯선 새벽을 향해 떠나야 할 때가 한 번쯤은 올 것이다. 그 길에서 맞는 어떤 순간에도, 빛을 잃은 굳은 손을 놓치지 않던 애틋한 마음을 간직하기를. 스스로를 위해 미소지을 수 있던 그 담백한 초심을 잊지 않기를. 쉽게 판단하려, 간단히 답하려 하지 않고, 수만 개의 진실을 품고 있는 저 신비한 삶을 향해 숨을 토해내듯 자신의 목소리를 토해내기를. 이 메마른 도시의 어둔 밤 안에서도 촉촉이 젖어드는 빛의 무늬를 매만질 수 있는 작가이기에, 이런 바람이 헛되지 않으리라 믿는다.

# 작가의 말

여기 실린 소설들을 쓰면서 이십대의 한 고개를 넘었다. 아쉬움도 많이 남지만, 그때에는 그것이 최선이었다는 것을 알고 있다.

더 나아갈 수 없다고 생각할 때마다 곳곳에서 나를 붙드는 손길이 있었다. 두번째 책까지 이끌어주신 그 모든 손길들에 감사드린다.

앞으로 좋은 소설을 쓸 수 있었으면 좋겠다.
좀더 고요히, 잠잠히.

| 수록작품 발표지면 |

문학동네 소설집
나를 위해 웃다
ⓒ 정한아 2009

초판인쇄 │ 2009년 4월 17일
초판발행 │ 2009년 4월 22일

지은이 정한아
펴낸이 강병선
책임편집 조연주 최유미
마케팅 장으뜸 정민호 한민아 김정민 정소영
제작 안정숙 서동관 김애진

펴낸곳 (주)문학동네
출판등록 1993년 10월 22일 제406-2003-000045호
주소 413-756 경기도 파주시 교하읍 문발리 파주출판도시 513-8
전자우편 editor@munhak.com │ 전화번호 031)955-8888 │ 팩스 031)955-8855

ISBN 978-89-546-0797-1 03810

* 이 책의 판권은 지은이와 문학동네에 있습니다.
  이 책 내용의 전부 또는 일부를 재사용하려면 반드시 양측의 서면 동의를 받아야 합니다.
* 이 도서의 국립중앙도서관 출판시도서목록(CIP)은 e-CIP 홈페이지(http://www.nl.go.kr/cip.php)에서
  이용하실 수 있습니다.(CIP제어번호: CIP2009001173)

www.munhak.com

# 우리 소설의 새로운 희망 _ 젊은 작가, 그들의 첫!

## 늑대의 문장 김유진 소설

마녀가 돌아왔다. 그리고, 이제 노래는 시작된다!
김유진이라는 작가가 고결해지고 믿음직스러워지는 이유, 그것은 그가 목소리의 무력함, 말하기의 무력함, 소설이란 장르 자체의 무력함을 충분히 이해하고 있다는 데 있다. 아니 그럼에도 불구하고 고대적인 것들의 후일담을 포기하지 않는다는 데 있다.
_ 김형중(문학평론가)

## 일곱시 삼십이분 코끼리열차 황정은 소설

'황정은풍' 소설의 탄생!
황정은의 소설은 젊고 발랄한 상상력으로 가득 찬 작품이다. 우리 소설의 가장 중요한 본질적인 차원에 해당하는 '아버지' 혹은 '가족사'의 문제를 '모자'라는 메타로 해결하는 이 젊은 작가의 감수성은 우리 소설의 세대교체를 실감하게 한다. 가족의 탄생과 유지과정에 대한 작가의 애증 어린 고찰은 우리 소설의 새로운 희망이 될 것이다. _ 2007 이효석문학상 심사평 중에서

## 채플린, 채플린 염승숙 소설

"여봇씨요!"
당신이 살고 있는 이 세계가 고양이 뱃속은 아닐지.

염승숙의 소설에 등장하는, 존재감이 희미한 인물들이 갖는 환상은 그렇게 고상하거나 화려하지는 않지만, 따뜻하고 낙관적이다. 염승숙의 소설은 그들의 화상이 비록 유치하고 단순할지 모르나 거기에는 그들만의 절실함이, 솔직함과 소박함이 담겨 있다는 것을 새삼 확인시켜주고 있다. _ 손정수(문학평론가)